秦前院長捐贈文物及其書法

玉丁寧館紀念展

序

臺灣博物館界失去了一位長者。

秦前院長可說是本院最資深的院長，帶領國立故宮博物院走過關鍵的十八年。他也是中華民國博物館學會的創會理事長，卸任後，大家繼續推舉他為名譽理事長。說到在博物館、美術館、藝文界的工作資歷，我都是晚輩；同時我也有著非常幸運的機緣巧合，在故宮院長、國家文化藝術基金會董事長、博物館學會理事長幾個職位上，我可以說都是接續著秦先生的工作，繼續著他的理想。雖然與秦先生不能說有頻繁的公誼私情往來，然而早在服務於台北市立美術館時，便與秦先生接觸，感受到的是恂恂儒者的長輩風範。也記得我接任故宮院長職務後不久，秦先生即邀宴許多故宮同仁，以前輩的身份給予鼓勵，實在讓我常常感念不已。

故宮成立到今天，有八十多年的歷史了。秦前院長執掌這其中的十八年，從一九八三年至二〇〇〇年，可說是故宮在台灣生根的關鍵年代。秦前院長在出任院長以前，即是當時故宮管理委員會的委員，對故宮的業務本就相當熟悉。故宮典藏的重要性舉世公認，秦前院長更是擴大故宮收藏視野的推手。大家都知道秦前院長學養深邃，據我了解，他個人對玉器、牙骨雕刻、文房器用，素有研究，有獨到的品味；他的書法創作早為藝壇所推崇，已成一大家。他尊重古的傳統，同時也能以創新的眼光來看待故宮的古文物。他認為博物院事業應該是一個永續的生命體，如何成長，將故宮原有的宮廷收藏基礎，上伸下延，使文物更具華夏文化一貫的傳統，成為一個代表華夏民族文化精華的博物館，一直是他念茲在茲的工作理念。同時他也常常思考如何使文物之美更加普世化，諸如館舍的擴充，提升典藏展覽的條件，增進研究出版的成果，廣泛地與國際博物館的合作交流展覽工作的推動等等，都是秦前院長任內大家有目共睹的成就，也值得大家敬佩。

追述秦前院長在故宮的志業，許多人也許比我更合適。但我想作為一個晚輩，又是秦前院長許多工作的後繼者，我與秦先生之間，還是有著許許多多值得珍惜的緣份。秦前院長不僅是我，也是台灣博物館界所有從業同仁共同的導師，他的心胸與願景，是我們大家相當敬仰的；他的離開，代表著一代典範博物館人的逝去，也是我們大家相當不捨的。我真心地企盼，國立故宮博物院可以在秦前院長擘畫的基礎上，不斷茁壯，得到他老人家永恆的庇祐，胸懷天下，日新又新。

國立故宮博物院院長

序

秦孝儀先生守藏故宮十八年，是讓故宮脫胎換骨的開拓者，當代人尊他為「故宮化身」，以彰顯他對保護弘揚中國文化所做的貢獻。二○○○年自故宮榮退之後，廣達文教基金會敦請先生為榮譽董事長，在他人生旅程的最後七年，廣達企業同仁有機會親炙先生行誼，感受其春風化雨的德範，是我們最大的榮幸。

先生是一位典型的中國傳統文人，精於詩文書法，好古博物，他的學養與風格在生活中處處可見典雅，並能有超越世俗眼光的清趣，他任基金會榮譽董事長期間，遍覽『廣雅軒』藏書畫，賞心悅目之餘常在我藏品之上題詩作跋，信筆揮來，每每畫龍點睛，辭精意切；我也常陪同先生出遊，每遊必有好詩，令人不得不佩服其詩興與才情。他的書法成就更讓我傾心備至，溯源先秦古籀，取法方整漢隸，尤以自創風格獨具的「秦體」稱頌一時。孝儀先生「詩」以言志，「文」以載道，自況「篆山隸海尋錐畫，鶻地梟天看賦詩」，這十四個字真切地鉤勒出先生的平生寫照。

晚年的秦孝儀先生，一派從容輕鬆自在的觀賞人生風景，悠遊浸淫於書法文學領域之間，安逸的晚年生活充實圓滿。二○○四年先生八十四歲時，在我及眾友好多次催請「連哄帶騙」、「磨墨斟茶」的力邀下，促成先生在台北舉辦其生平最大規模的個展「筆力詩心—秦孝儀詩文書法文房展」；隔年又應湖南省博物館之請，在長沙再展出一次，終於讓久別的家鄉父老，也感受到他的「筆力詩心」。基金會曾於二○○三年十月編印其自篆〈千字文〉、〈九歌〉、〈司空表聖詩品〉一套三冊；二○○四年在個展之前，出版《玉丁寧館賸墨》，並蒐錄了其一生具代表性的詩稿，編印了《玉丁寧館詩存》。先生曾自詡「沒有浪費過一天」，我很榮幸能有機會襄助他達成心願，完成了好些他高興做的事，我想這應該是先生晚年最快慰的事了。

文化是生活的內涵，我成立基金會以來，一直紮根於教育，著力於科技與藝術生活的結合，以提昇文化內涵，達到社會「文化均富」的理念。我一直有一顆效法中國文人風骨氣節的赤忱之心，而孝儀先生正是我欽仰的文人表徵，他的一生為藝術文化的無私奉獻與寬廣包容，留予後人無限的懷念。

藝文界痛失了這位可敬可親的長者，我們緬懷這位文人典範，特地舉辦「玉丁寧館紀念展」，展出先生所捐贈給故宮的部分文物，與商借自家屬的書法作品，希望讓國人再一次濡染先生的文采風範，藉由玉丁寧館的藝術風華、詩文造詣與收藏雅好來追思憑弔，也為他「風骨猶昔」還懷抱「筆力詩心」的一生，畫下完美的句點。

我與先生結緣於故宮，從初識到他辭世，不到十年，我敬之如師如父，能接觸這麼一位偉大的文人，是我最大的福緣，能在這位國寶的晚年，略盡守護之責，更是我的福氣。我忝為此次展覽的主辦者之一，謹將七年來陪侍先生的過往點滴，縷陳於上，是為序。

廣達文教基金會董事長

玉丁寧館紀念展—秦前院長捐贈文物及其書法

玉丁寧館為本院秦前院長孝儀先生書齋名。先生字心波，民國十年（一九二一）出生於湖南省衡山縣，今年一月五日逝世於台北。秦前院長幼時由父親親自教讀，長而博覽群籍，苦讀不懈，文學造詣，世人向尊稱為「第一文膽」。先生畢業於上海法學院法律系，二十四歲起即襄贊中樞，長年服務於中國國民黨中央黨部。民國七十二年（一九八三）元月受命主持國立故宮博物院，至民國八十九年（二〇〇〇）五月榮退，主持故宮志業長達十八年，隨後應聘為廣達文教基金會榮譽董事長，繼續貢獻心力。

秦前院長董理本院，宣揚對文化的認知，既應連繫古今，也應環視國際，方能擴展視野，才能再啟文化新頁。十八年間，辦理館舍擴建，使文物有現代化之展出環境及維護管理；修築仿古園林，美化院區景觀，提供民眾遊覽的最好環境；積極徵集文物，彌補原本典藏之缺項，上自新石器時代中晚期，下延至近代文物展示，使八千年華夏文化一貫展出，突破了原本為宮廷文物瑰寶的格局；完成文物總清點，建立統一分類編號體系，使典守無失；銳意出版，整合華夏民族五千年文化大系，讀者無遠弗屆，得以領略文物光華；以百品文物到中南部展出，使外地也能觀賞故宮珍寶；應運國際潮流化，展覽也趨向多元，先於院內備有「華夏文化與世界文化之關係特展」，對外則與世界接軌，院藏文物於美國、法國展出；更與各著名博物館交流，引進西洋藝術展覽，中西藝術文化在本院輝映並美；又開拓展出大陸出土文物及私人珍藏之展覽；當電腦科技為時代新潮流，即肇建本院典藏、研究、管理之行政自動化及數位化。

秦前院長公餘之暇，雅好吟詠詩詞、創作書法，以及對文房器用、玉石竹木骨角的收集。每每於文物摩娑或吟詠把玩之際，形成獨具一格之藝術品味。世人稱為「秦體」的雅正書法，寫出詩文題贊，一方面表達了愛物的情懷，一方面也為古文物增添了新生命。民國八十六年（一九九七），先生將他多年所收藏的歷代牙骨竹木器二三七組件（二九六單件），以「玉丁寧館」齋名捐贈本院，此外，又有明清善本舊籍四十二種二千二百三十冊，及明代楊忠烈公劾魏忠賢二十四罪疏稿及台灣前輩畫家楊三郎先生粉彩畫一幅，續贈故宮，與世人分享，先生維護珍貴文物的心力，德風令人感念。

茲值先生逝世百日之際，展覽出部份捐贈品及商借自家族的先生書法，期望世人得見先生的風範，也是本院同人對秦前院長致上敬意。（王耀庭）

目次

圖版 目次

I 風骨猶昔

II 凜烈萬古

III 博古好史

IV 篆山隸海

風骨猶昔

牙骨竹木雕器

風骨猶昔—玉丁寧館捐贈牙骨竹木雕器選萃

國立故宮博物院收藏不少名寶上珍，其中亦不乏牙骨雕刻品，但是多為有清一代遺物，獨缺上古骨器。秦前院長心波先生深諳院藏之憾，多年來心懷拾遺補闕之意，留心收集坊肆牙骨雕器，並搭配收藏竹木精品。民國八十六年（一九九七）秦前院長將多年購藏牙骨竹木雕器，擇其精尤，縱貫五六千年不替，上自新石器時代晚期的雕骨嵌石大刀，下迄清末民國的牙骨竹木雕刻品，共計二三七組件（二九六單件），以「玉丁寧館」之齋名捐補院藏；茲僅選摭其中具代表性者三十件，略敘於後。

除了石材，牙、骨、竹、木也是上古先民易得而熟悉的質材。當時，石材與竹木隨處可取；漁獵所得作為食物，食餘的牙骨便可雕製成工具或裝飾品。竹木易朽，不易保存，石材堅硬，不易磨製，牙骨質材介於兩者之間，兼具兩者之美，遂在古代遺物中最能表現先民雕刻技藝。

《周禮・太宰》：「以九職任萬民，……五曰百工飭化八材，……」鄭玄注云：「八材，珠曰切，象曰磋，玉曰琢，石曰磨，木曰刻，金曰鏤，革曰剝，羽曰析。」「象」指象牙，磋象即雕刻象牙，由此可知先秦時期象牙雕刻工藝是一種專業化的技藝。從地下出土的考古資料可知，先民用動物的牙、骨、角為材以製作器用時，所採用的工藝技術與磋製象牙者相似，所以通常考古學者在分析所發掘文物時，常將三者並列，有時也不細分牙質、骨質或角質，牙材中則以象牙最為珍貴。

遠在數萬年前的舊石器時代，先民已知利用漁獵所得的獸骨、牙材，磋製成簡單的生產工具或裝飾品。降及新石器時代，牙骨製品進而成為當時工藝美術的一環，或為椎，或製刃，或作飾物，甚至製成與當時先民宗教信仰或禮制等級相關的器用，例如河姆渡文化遺址中出土的鳥紋牙骨器即被認為與信仰有關，而上海福泉山良渚文化遺址出土的一件象牙雕刻品，在墓內置於人骨的左手上，器表凹凸兩面滿刻精細神獸面紋，考古學者認為是權力和地位的象徵，是一種禮器，是等級的反映。當時使用牙骨器相當普遍，至於所用的材料，多取自獸類，也取自魚類與鳥類。選材後，便進行裁切、成形、打磨等工序。此時的牙骨器多為光素者，但是也不乏以陰刻線紋為飾者。

夏代已進入銅器時代，石、骨、蚌器雖然仍大量使用，但是在形式上「顯著減少」。有關夏代的斷代研究仍不斷進行，此時期牙骨器工藝成就尚未梳理出具時代特徵的代表性器物。商代以銅器藝術為重心，但是在牙骨雕刻方面仍有長足的進展，不但表現牙骨質材的本色，也常在牙骨雕刻品上鑲嵌綠松石等次寶石為飾。商代後期雖然是銅器藝術的燦爛時期，銅器也有排斥骨器的情形，但是因為銅工具的使用，骨器的製造量反而增加了，而且因為銅工具的使用，也提高了骨器的質量，例如骨錐，過去或對使用的刃部加工，此時在不使用的部份也加工；骨笄，過去磨製成光滑的圓頭已感滿足，此時匠心用於笄首，而出現不同的裝飾。

西周延續商代風格，牙骨器的雕刻與鑲嵌工藝並存；春秋戰國時期，加入了彩繪、鑲嵌金絲與烙印工藝，更增加當時牙骨器的華麗。漢代漆器工藝中的錐畫藝術，深受世人推崇，此時牙骨器上的針刻技藝，與之並行不悖；除了針刻，尚常在陰線刻痕內填入各色彩料，踵事增華。

東漢後期，隨著政局的變動，外族文化的參與，佛教思想的普及等因素，文化發展方向有所轉變，與漢代以前的差異性逐漸增加。表現在器物藝術方面，即是銅器、玉器、漆器等藝術風格丕變。表現在牙骨器上，也出現使用頻率減低，裝飾方式比較缺乏特色，因而降低其藝術性，必須遲至明清時期，象牙雕刻工藝方再度顯露光芒，並在乾隆朝前後達於顛峰。

學界多將清代牙雕工藝劃分成南北兩派，北派指北京民間作坊和宮廷造辦處牙雕作坊，以保持象牙本色為特點，注重磨工；南派也稱廣派，作坊主要在廣州一帶，側重雕工，講究漂白，多以質白瑩潤、刀鋒裸露、精鏤細刻、玲瓏剔透見長，牙絲編綴更是其絕活。十八世紀宮廷造辦處牙雕作坊內的匠役吸納了盛清前期江南蘇州地區的雕刻藝術風格，又在廣東地區牙雕工藝基礎上融合北匠技藝，去蕪存菁後，遂於十八世紀中後期在皇帝品味的引導下形成獨樹一幟的宮廷牙雕風格，其紋飾繁簡有致，繁處重雕工，簡處重打磨，並視紋飾所需再茜染顏色，顯出一派皇家氣息，而在當時牙雕藝術上居於領導地位。

雖然如此，在氣候條件的限制下，自始至終廣東地區牙雕工藝的牙絲編綴工藝皆未進入宮廷，而成為南派牙雕工藝的絕活。清晚期廣東地區的牙雕工藝甚至聞名海內外，深受推重。民國初期，國事蜩螗，牙骨雕刻工藝隨著世局的變動紛亂而略顯停滯。

玉丁寧館捐贈的牙骨竹木雕器中，以牙骨器為大宗，竹木器雖僅有十一件，但亦有可觀之物，例如其中的雕竹鏤空七賢過關香熏，乃院藏三件雕竹香熏之一，出自於明末清初江南嘉定地區的竹人之手；雕竹荷葉式印矩，是鈐印的文具，輕巧便利；黃楊木如意，長達四十三公分，其色澤雅致，足供文房清玩。（嵇若昕）

Ⅰ-1

雕骨嵌石大刀

Large bone knife with stone blades

新石器時代晚期

長 29.5 公分

國贈 28335

Late Neolithic

Length: 29.5 cm

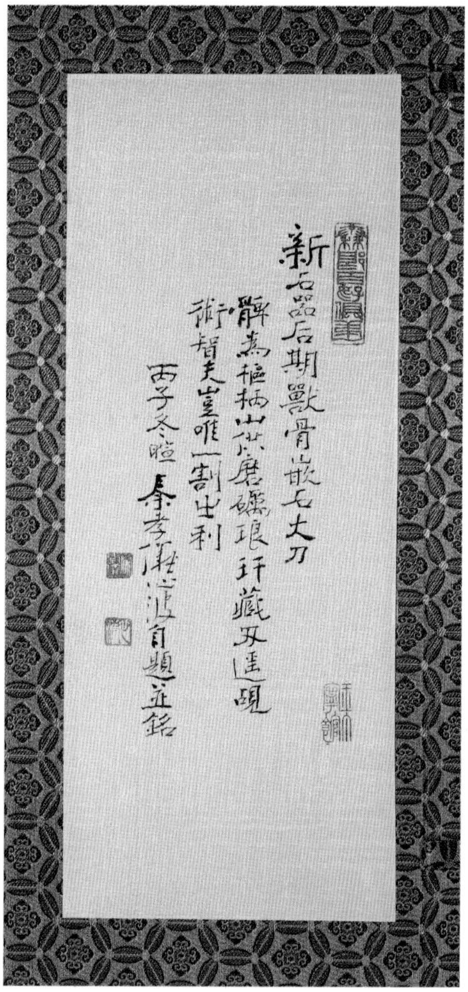

錦盒蓋面題簽

全器截取動物肢骨磨製成直長條刀形，刃部鑿凹槽，以供鑲嵌石片成刃以製成獸骨柄石刀；柄端有一長形凹槽並有一孔，以供繫墜或嵌插。現今骨刀所嵌入之多片磨利的石片，乃今人依據其他同類出土品修復；紅色墜飾則由陳夏生編綴。

這種鑲嵌石片或石葉為刃的骨器，有人稱之為「石刃骨柄器」或「骨梗石刃器」，以石刃骨刀類發現最多，另外還有匕、鏢等。石刃骨器是磨製骨器與細石器相結合的產物，中國在距今一萬年左右的舊石器時代晚期開始出現這類器用，最早出現在內蒙古地區，當時分佈在東北、西北、西南的這類石刃骨器，流行年代大致在西元前六〇〇〇年至一八〇〇年，時間跨度達四〇〇〇年以上；在不同地區流行年代的下限較接近而上限則差別較大；或以為此件骨刀乃出於西北甘肅地區。

有學者以為石刃骨刀是史前時期先民在狩獵或飼養動物後，宰殺動物以供食用時，剝皮和切割過程的工具，另外還可作為人們食用肉類時的餐具。至於「一些柄部有孔的石刃骨刀即是人們隨身攜帶，在不同地點宰殺動物、食用肉類時使用」的工具。這件嵌石骨刀或即是先民隨身攜帶備用的器具。

I - 2

雕骨獸面紋飾件

Bone ornament with mask decor

商後期

長 10.6 公分

國贈 28343

Late Shang

Length:10.6 cm

磋磨一段肢骨，一端陰刻獸面紋，另一端又刻一側身龍紋，尾端與獸面紋交接，三臣字眼紋皆圓凹；突起面刻正面龍紋，雙眼與身軀三角紋或菱格紋中央凹陷；凹陷處原或有嵌件，今已佚。

這件「雕骨獸面紋飾」與加拿大皇家安大略博物館（Royal Ontario Museum of Archaeology）編號NB6251的著名「獲文口虎」骨器正面最下方紋飾相似，這件或因殘損，首尾皆被修磨。

I - 3

雕牙魚形珮

Tusk pendant

商後期至西周初期

長 14.1 公分　最寬 2.2 公分　最厚 1.2 公分

國贈 28344

Late Shang to Western Chou

Length: 14.1 cm Max. width: 2.2 cm Max.thickness: 1.2 cm

全器取一段獸牙琢製而成，剖面略成三角形，一端作魚首形，於唇部鑿一孔，自其下頜穿出，可繫掛，側面尚有一未鑿穿之孔；另一端圓弧。器身中腰內縮，陰線紋飾分成三段：有孔的一段即作魚首紋，魚身前段飾一側面獸首紋，後段所飾陰刻線紋略成三角形。魚唇部位已為銅鏽染成綠色，在側面未鑿穿之孔的部位上遺留銅鏽。

近年在山東滕縣前掌大村發現商代中晚期墓葬，在已發掘的五座商代晚期大墓即有一件雕骨魚，長一二．六公分，通體泛綠，兼有朱色，紋飾與此件相似。此外，在加拿大皇家安大略博物館亦藏有類似器，與此件更類似，但無穿孔。加拿大皇家安大略博物館的雕骨魚出於河南，山東滕縣前掌大商代大墓是商代某方國的貴族墓地，也被認為是商代在東方的「商文化亞區」。

除了商代後期的出土雕骨魚外，在河南濬縣辛村E區第四條探溝一個西周早期小型墓（M72）中，也曾出土一件雕骨魚形珮，尺寸與玉丁寧館所贈者接近（長一四．五公分），器形與紋飾也雷同。前者魚唇部位略殘，似原有穿，故郭寶鈞逕名之為「魚形佩系」。

Ⅰ-4

雕象牙鳥首笄

Ivory hairpin

商後期至西周

長24.2 公分

國贈 28353

Late Shang to Western Chou

Length:24.2 cm

器用一整塊象牙雕製而成；笄首雕一高冠側面鳥立於王字臺座上，鑿一小凹槽作眼紋，翼部陰刻雙圈一點之圈點紋，尾上翹，近尾部亦鑿一小凹槽，凡凹槽內原或有綠松石等嵌件，今已佚，有三處凹槽填塞土質；喙突勾；笄身剖面呈橢圓形，尾端圓鈍。全器多處沾黏沙土，但仍露出象牙黃色。

在商後期的殷墟，尤其是武丁之後的墓葬曾一再出現類似器用，婦好墓中即不見這類型笄。此外，在陝西長安澧西張家坡西周居址遺址中也曾出土這類鳥首笄，但絕大多數為骨製者。所以這類高座鳥首笄應在婦好墓主人入葬之後才出現，一直流行至西周。

I - 5
雕象牙鳥首笄
Ivory hairpin

商後期至西周
長 12.4 公分
國贈 28354
Late Shang to Western Chou
Length:12.4 cm

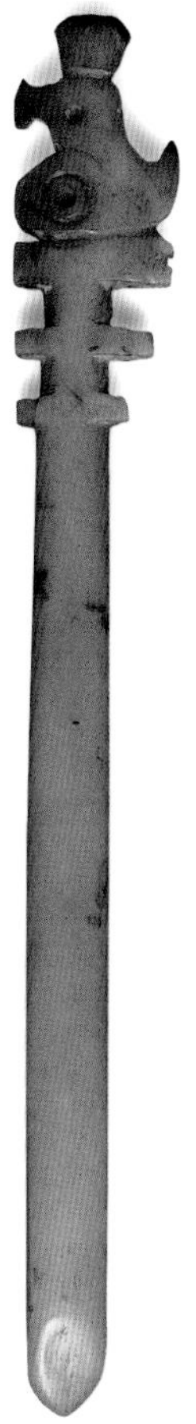

器用一整塊象牙雕製而成；笄首雕一高冠側面鳥立於王字臺座上，鑿一小凹槽作眼紋，翼部陰刻雙圈一點之圈點紋，尾上翹，喙突勾；臺座部位有傷缺，笄身呈扁圓柱形，尾端扁尖，或因殘損，經後人修磨而成扁尖。此器已成黃色，應已出土了一段時間，可謂傳世器。凹槽內原或嵌有綠松石類飾件，今已佚。

這類高座鳥首笄應在商後期婦好墓主人入葬之後才出現，一直流行至西周。

I - 6
雕象牙鳥首笄
Bone hairpin

西周
長 12.2 公分
國贈 28355
Western Chou
Length:12.2 cm

器用一整塊骨雕製而成；笄首雕重疊的側面雙鳥立於王字臺座上，陰刻一點作眼紋，翼部陰刻雙圈一點之圈點紋，鳥眼、胸部與臺座上原或皆嵌綠松石為飾，部分嵌件已佚；臺座與鳥尾部位有傷缺，笄身呈扁圓柱形，尾端呈銳尖錐形。

類似的雕骨鳥首笄曾於陝西長安灃西張家坡西周居址遺址中出現，鳥的眼睛與胸部也鑲嵌著綠松石，因此這件骨笄或也是西周遺物。

I - 7

雕骨魚紋璜

Bone huang pendant

戰國

長11.4 公分　最寬 0.9 公分　厚 0.3 公分

國贈 28384

Warring States

Length: 11.4 cm　Max. width: 0.9 cm　Thickness: 0.3 cm

扁平弧形，兩端尖，中段較寬，雕成一尾魚形；魚首端陰刻兩道弦紋，兩面陰刻圈點紋，鼻部前伸，唇部凹陷，魚身中段留出一光素三角形，餘陰刻四組方向相反的斜弦紋，器身滿塗褐色塗料，尾端染成淡綠色。

I - 8

雕骨填紅彩圈點紋嵌件

Bone attachment

戰國至漢

長 10.8 公分

國贈 28394

Warring States to Han

Length:10.8 cm

取一長段骨材，三分之二部位磋磨成尖錐狀，另一端磨成長方形，上方飾三道填紅彩陰線，下方以對角交叉陰線分出四個三角形塊面，其內各陰刻填紅彩圈點紋為飾；長方形之上磋磨出一側面鳥首紋，陰刻填紅彩圈點紋作眼紋。長方形側面深鑿二凹槽，以供嵌插於他物上。

在湖北江陵鳳凰山的西漢墓（M9）即曾出土一件形制與紋飾與此件相似之骨器，紋飾內填紅彩與黑彩，考古工作者名之為簪。但是此墓人骨已朽腐無存，葬式不明，無法就出土位置（與墓主人的關係）判定功能。是否確是插於髮際的「簪」，仍有待進一步的資料證實。

I - 9

牙鑣

Tusk curb chain

戰國

長 20.5 公分　最寬 1.3 公分　最厚 1.0 公分

國贈 28432

Warring States

Length: 20.5 cm Max. width: 1.3 cm Max. thickness: 1.0 cm

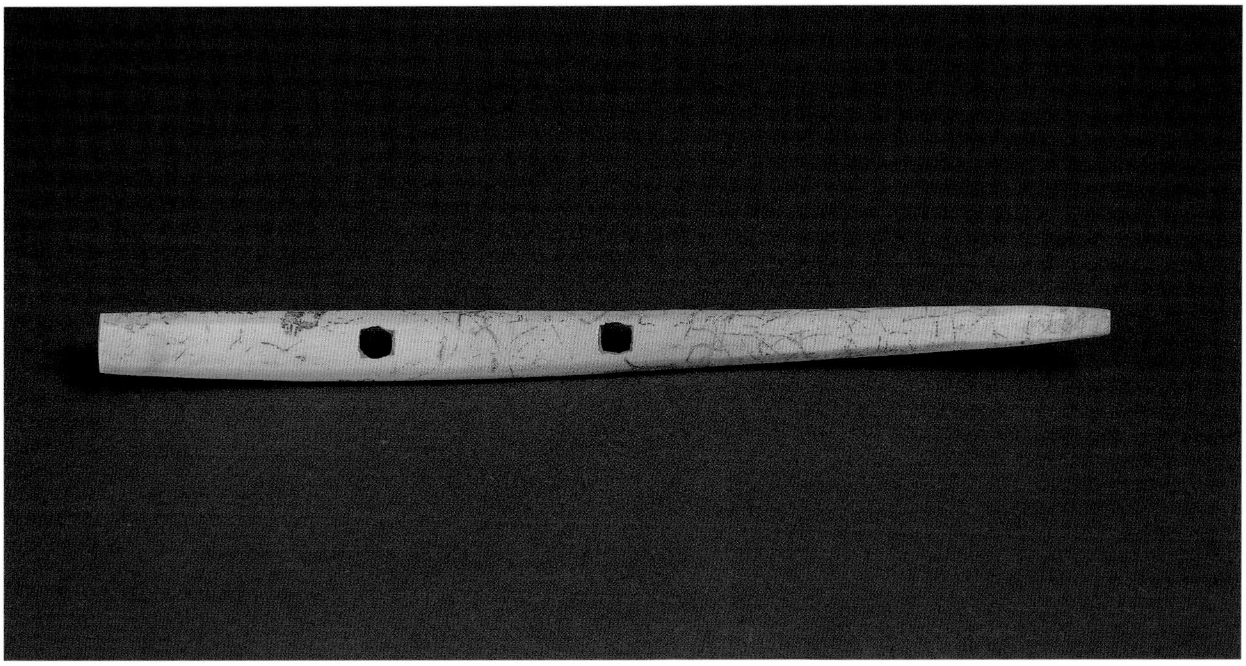

器乃取獸牙末段磨製而成，剖面呈扁八邊形，上下兩面較寬，中段也較寬而厚，並鑿二方孔，以供裝嵌固定之用。器呈牙白色，中段部分已為銅鏽染綠。依據方孔中央較寬，且內壁中央平滑，四隅較粗等特徵來看，其鑿孔方式是先用管鑽法打孔，再向四隅修磨成方孔。

西周時即已出現銅或牙製成的鑣具，東周時代的墓葬更一再出現以銅、牙、骨或角製成的鑣具，除有光素者外，考究者或鑄成獸形，或彩繪紋飾，安徽壽縣春秋晚期蔡侯墓中，還曾出土烙有花紋的角鑣。

I - 10

角鑣

Horn curb chain

戰國

長 23.2 公分　最寬 2.2 公分　最厚 1.8 公分

國贈 28433

Warring States

Length: 23.2 cm Max. width: 2.2 cm Max. thickness: 1.8 cm

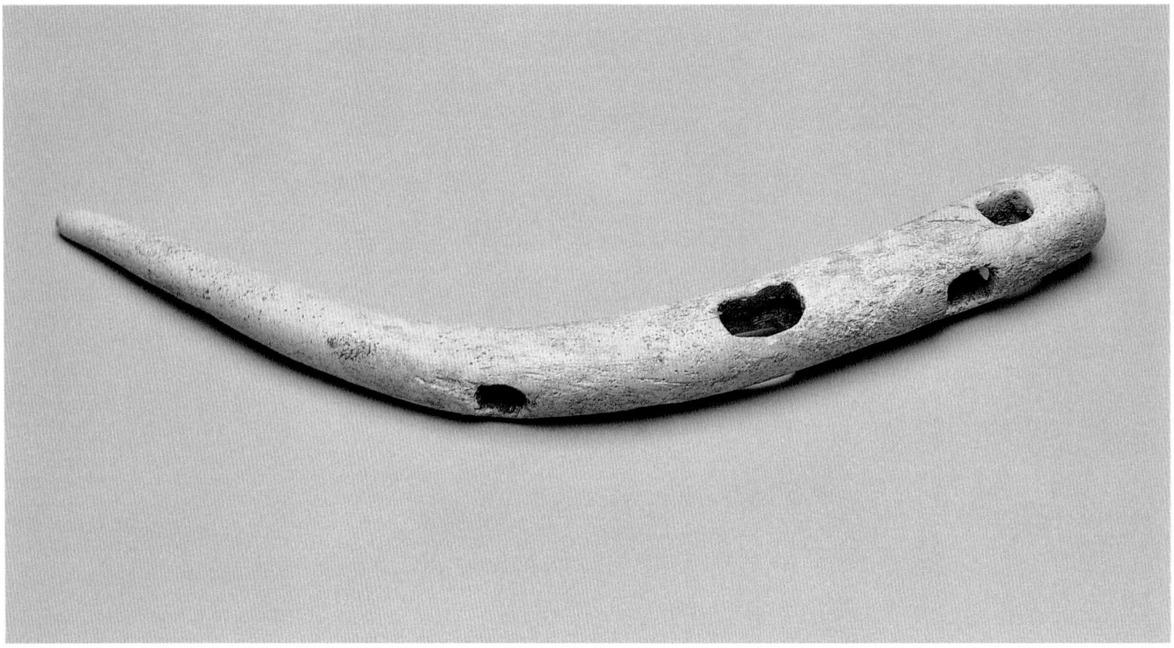

器乃取一長段角材磨製而成，剖面呈扁圓形，每面皆鑿二方孔，以供裝嵌固定之用。全器有傷蝕及璺痕。

戰國時盛行骨、牙、角或銅鑣，今日常可在當時車馬坑中發現這類鑣具。

I - 11

雕角彩繪回紋鑣

Horn curb chain with painted spirals

東周

長 15.2 公分　最寬 2.8 公分　最厚 1.9 公分

國贈 28435

Warring States

Length: 15.2 cm　Max. width: 2.8 cm　Max. thickness: 1.9 cm

器乃取獸角磨製而成，剖面呈扁八邊形，鑣身中央鑿二方孔，以供裝嵌固定之用。器呈牙白色，後半段已為銅鏽染綠。近尾端以褐彩繪回紋為飾，局部回紋外傷蝕。

剖面呈八邊形的牙、骨、角在山西省侯馬市上馬村春秋中期墓中即已出現，器表光素無紋。但是在湖北當陽曹家崗五號墓中出土的七件鹿角修磋成的角鑣，考古工作者稱之「骨鑣」，並分成三式，其中I式兩件，兩端即飾幾何回紋，長一四公分，形制、紋飾與尺寸與此件相似。曹家崗這座墓乃春秋晚期楚墓，墓主人的身分是大夫階層中地位較高者。

屬於戰國早期的湖北隨縣曾侯乙墓中曾出土多件剖面為四邊形而髹漆彩繪紋飾的骨、角質鑣具，雖然這些鑣具不是八邊形，但是同墓所出的一種考古報告稱為I式「馬鑣形器」的骨角器，共有十二件，剖面即呈八邊形。此外，山東長島王溝戰國早、中期墓葬曾出土光素而剖面呈八邊形的骨鑣，河南輝縣戰國墓葬中出土的骨鑣也見剖面為八邊形者。

除此之外，河南省三門峽市陝縣的東周墓中也曾出土類此剖面呈八邊形的角鑣，通體也飾褐色回紋。

I - 12

雕骨三鳥紋嵌片

Bone inlay with bird decor

西漢
長 4.3 公分 寬 3.4 公分
國贈 28454
Western Han
Length: 4.3 cm Width: 3.4 cm

將骨材磨成一橢圓形，正面細線陰刻三鳥，頭向中心，中心則細線陰刻一個三瓣之朵花紋，朵花紋之花瓣又延伸出一細陰線，穿過兩鳥紋間達器緣，近器緣處又各飾一雲紋。朵花紋、鳥紋與雲紋內皆陰刻短斜線紋，並填紅彩為飾。

就目前已發表的資料而言，戰國尚未出現在牙骨器上以陰線針刻紋飾的實例，屬於漢代前期的南越王墓或中山靖王劉勝夫婦墓中曾出土細線針刻紋飾的牙骨器。東漢時牙骨器上的陰線針刻紋飾有退化的現象，六朝的牙骨器出土實例不多，亦少見陰線針刻的例證。因此，細線針刻紋飾相當具有時代性，故而也是漢代牙骨器裝飾技法的典型，某些牙骨器上的針刻紋飾，依其雕刻退化的情形，也不排除可略晚至六朝初期階段。

當時牙骨器上的陰線針刻紋飾與當時陶器、漆器上的彩繪或錐畫紋飾的風格一致，例如龍、鳳、虎、奔鹿、神獸、飛鳥、雲氣、花、樹等等皆是常見的紋飾母題。而在戰國至漢代的漆器上也曾見類似此件由鳥紋雲紋等組成一組團形之紋飾。

I - 13

雕象牙筆管

Ivory stick

漢

長 17.8 公分 徑 0.5-0.7 公分

國贈 28487

Han

Length:17.8cm Diameter:0.5-0.7cm

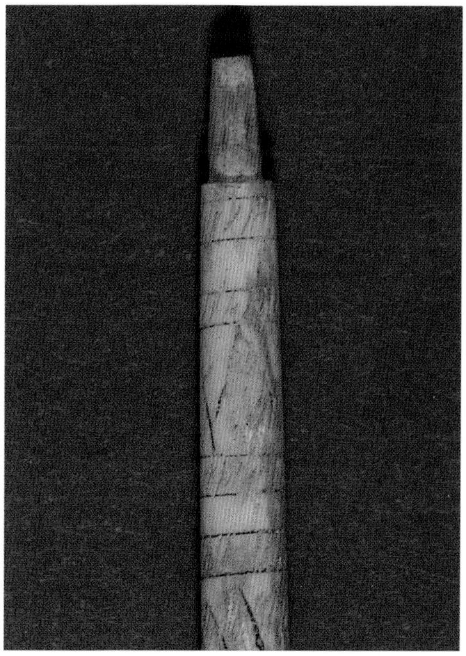

長圓柱形，較小徑的一端有一圓榫突，另一端呈管狀而中空。近榫突的一端陰刻弦紋、線紋與弧線紋，並填黑彩為飾；刻工纖細流暢。此器應僅為他器之零件，陰刻並填黑彩，為漢代牙骨器常見的裝飾方式，此器僅飾簡單的線紋。

一九九二年十二月，甘肅敦煌水井附近的漢代懸泉置遺址中曾出土四枝筆，其中兩枝保存較佳，一件通長二四．五公分，筆管長二二公分，筆鋒長二．二公分。筆管一端有孔，一端內縮呈短小圓柱形，與此件形制相同，但懸泉置所出土者乃木製，此件則用象牙製成。

I - 14

雕骨填彩雲鳥紋馬蹄形管

Hoof-shaped bone tube with color cloud-and-bird decor

東漢

高 7.2 公分　上徑 4.1-4.3 公分　下徑 3.8-4.1 公分

國贈 28490

Eastern Han

Height: 7.2 cm Upper diameter: 4.1-4.3 cm Lower diameter: 3.8-4.1 cm

全器取一段骨製成，剖面呈橢圓形，一端緣平齊，一端斜削，使全器呈馬蹄形。器表陰刻細線抽象鳥紋，或填紅，或填黑。

在新石器時代晚期的紅山文化中曾一再出現馬蹄形玉器，其功能未定。在內蒙古漢代墓葬中也曾出土類似的馬蹄形骨管；此件骨器，器形規整，表面又滿刻陰線紋飾，或填紅彩，或填黑色，其製作時代或許晚至東漢。

I - 15

雕牙花鳥紋梳柄

Tusk comb handle with flower-and-bird decor

唐

長9.3 公分 寬3.0 公分

國贈28503

T'ang

Length:9.3 cm Width:3.0 cm

乃橫長形梳之柄部，連接梳齒部位有數十道刻鑿梳齒之遺痕，梳齒已佚。器另三緣刻飾短鋸齒紋，其內突弦紋兩道，在器上方弦紋部位鑿二小孔；弦紋內刻飾一圈連弧紋，二孔下方飾一朵花，器中央一面飾淺浮雕折枝花，一面淺浮雕折枝花上飾一展翅鴻雁；兩面皆陰刻菱格紋襯地。

西晉時期，橫長形而柄部略成半個長橢圓形的梳式已現端倪，一直延續至隋唐時代。魏晉以來，婦女頭上流行插戴梳篦，至唐代更盛，遲至晚唐、五代，有時一位婦女髮髻上插戴十數把梳篦，所謂「歸來別賜一頭梳」。

I - 16

雕象牙馬首鈕箸

Ivory chopstick

唐

長 20.7 公分　最大徑 0.6 公分

國贈 28505

T'ang

Length: 20.7 cm　Max diameter.: 0.6 cm

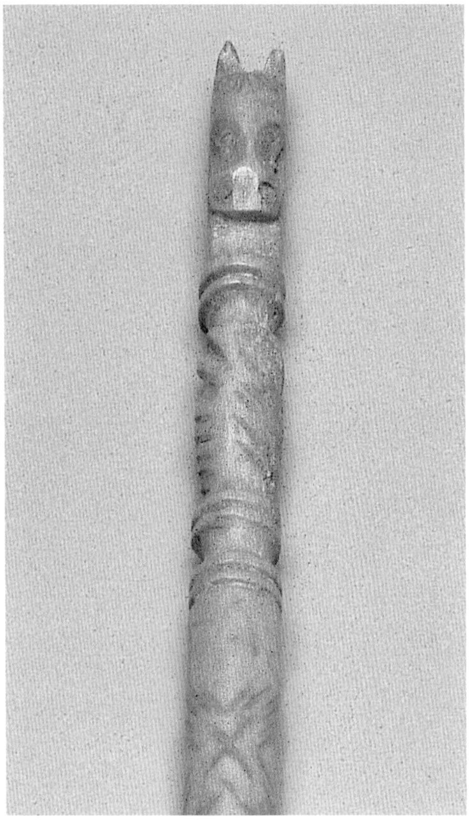

磨取一根象牙，一端雕一正面馬首，背面中央刻一長凹槽，斜線陰刻馬鬚，馬首立於工字臺上；其下方中段稍凸，陰刻斜線以示馬身，馬身又立於兩層工字臺上，此段局部傷損。箸挺四個部位陰刻斜線為飾，全器已染成淡綠色。

《韓非子・喻老》：「昔者，紂為象箸，而箕子怖。」可見得自古以來以象牙製成的筷子是珍貴、考究的食具。

I - 17

雕象牙馬首鈕箸

Ivory chopstick

唐

長20.7 公分 最大徑 0.6 公分

國贈 28505

T'ang

Length: 20.7 cm Max diameter: 0.6 cm

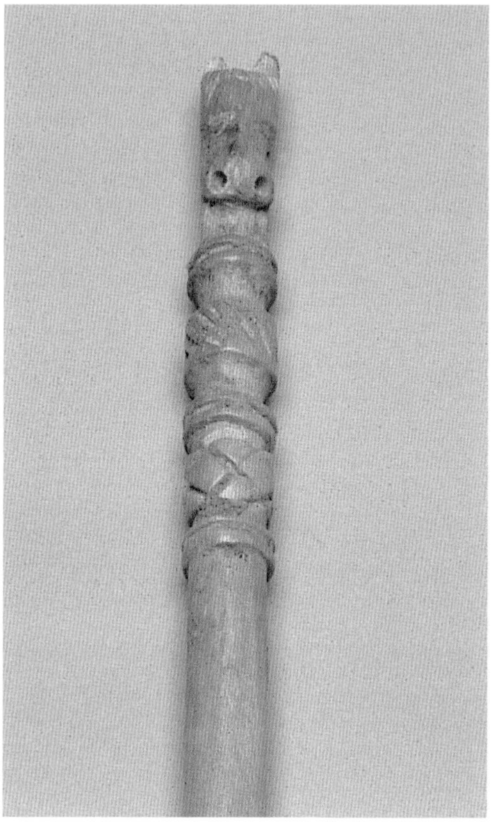

磨取一根象牙，一端雕一正面馬首，背面中央刻一長凹槽，斜線陰刻馬鬣，馬首立於工字臺上；其下方分成兩段，以工字臺分界，上段突起部位陰刻斜線為飾，下段則陰刻交叉網紋為飾，箸挺光素，全器已染成淡綠色。

唐代開始，箸的首端開始有裝飾，當時「筯」、「箸」二字互用。

I - 18

雕牙鏤空描金白彩花卉紋梳

Tusk comb with openwork floral decor in gold and white

宋・金至元

殘長 8.5 公分　寬 3.6 公分　背厚 0.3 公分

國贈 28515

Sung, Chin to Yuan

Length of fragment: 7.2 cm　Weight: 3.6 cm　Thickness of spine: 0.3 cm

全器呈半月形，一端銳尖，另一端已殘，原應仍呈尖銳形。因紋飾所需，器之背寬中央稍大，梳齒長度由中央向兩側依序遞減，梳背雕飾鏤空花卉紋，間描金為飾，花瓣部位尚填白彩。

這類半月形梳篦在北宋末期已然出現，北京金代墓葬中曾出土梳背作黑漆描金裝飾的骨梳；懷履光於《洛陽故城考古》（William Charles White: *Tombs of Old Lo-yang*）書中也曾發表一件當地出土的骨梳，不論形制與鏤空紋飾皆與此件相似；當代私人收藏中也曾見與此件牙梳之器形與梳背鏤空紋飾相似的牙梳。

I - 19

雕角人首紋錐

Horn hsibodkin

西夏

長12.0 公分

國贈28357

West Hsia

Length: 12.0 cm

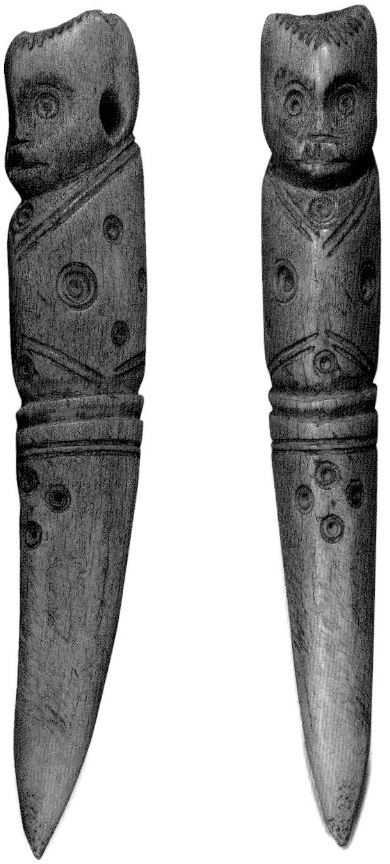

此件取獸角製成，尖端朝下，正面上端浮雕出一人面，頂端陰刻短斜紋為頭髮，並陰刻圈點紋為眼紋（雙圈為眼形，中央深鑽一圓心為眼瞳），斜凹雕出面頰，留出鼻部，陰刻一短線為鼻頭，在陰刻一長線為唇部。人面下方陰刻一道凹槽為頸部，頸部下方左右各斜刻兩道直線以示衣領，領部下方（即衣領上方）陰刻一單圈圈點紋為飾。器之中段部位繞器陰刻兩道凹槽以間隔出身軀，身軀部位左右各陰刻四圈點紋，近中央部位者為雙圈，餘為單圈；凹槽上方兩側各刻一》紋，其紋正中下方而為凹槽上方部位刻一單圈圈點紋為飾。凹槽下方陰刻二道弦紋為飾，並於其下方正中部位依上下左右四方排列方式各刻一單圈圈點紋為飾。上端人面兩側於同一部位各穿一圓孔，可繫掛，亦示其雙耳。

《遼史》記載當時西夏人的服御乃「冠用金縷……佩蹀躞、解錐、短刀、弓矢，……」。近人曾在寧夏回族自治區海原縣原西夏開國皇帝李元昊的行宮遺址中發掘一件人頭形鹿角質製成的解錐，長一二公分，錐角直徑一．八—二．〇公分，一端用作解錐的尖，角根部則雕飾人頭像，雙耳部位穿有繫繩的孔。因此，這件磋角人首紋器用或亦為當時角錐之實例。

I - 20

雕角人首紋錐

Hron hsibodkin

西夏
長 11.4 公分
國贈 28358
West Hsia
Length:11.4 cm

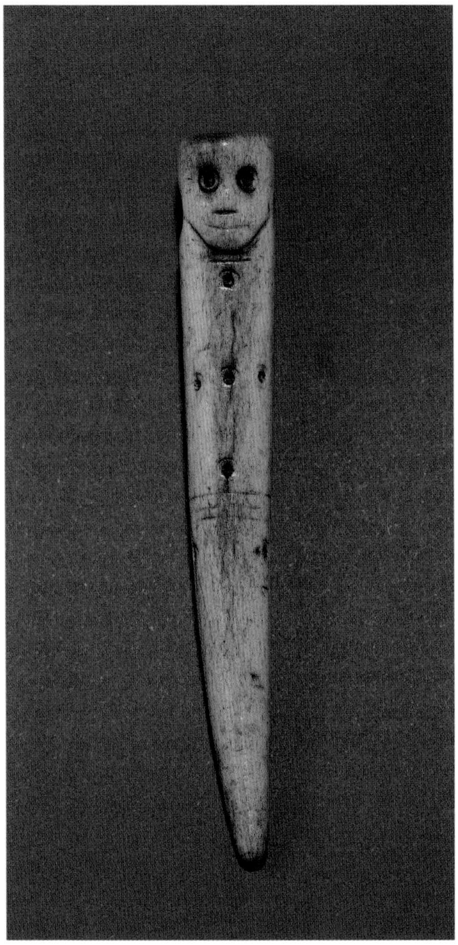

此件取獸角製成，尖端朝下，正面上端浮雕出一人面，以圈點紋為眼紋（陰刻單圈為眼形，中央深鑽一圓心為眼瞳），眼下方中央並陰刻一短橫線與一長橫線為鼻與口。人面下方陰刻一道為頸部，器之中段部位繞器陰刻三道橫線以間隔出身軀，身軀部位依上下左右中各陰刻一圈點紋（單圈中鑽一圓心）。同樣的圈點紋亦飾於器側三道橫線之上方與下方，以及器背三道橫線下方。器之上端人面兩側於同一部位各穿一圓孔，可繫掛。

這件磋角人首紋錐與西夏開國皇帝李元昊的行宮遺址中發掘一件人頭形鹿角質製成的解錐相似，但後者更形儉樸。

I - 21

雕骨鸞鳳綬帶版

Bone plaque with phoenix-and-cordon decor

宋至元

長15.3 公分 寬6.2 公分 厚1.9 公分

國贈 28521

Sung to Yuan

Length: 15.3cm Width:. 6.2cm Thickness: 1.9 cm

長方形，四隅與中央凹入，每一邊亦內弧，兩面周邊皆起寬棱，一面中央浮雕壽石，左右各浮雕一鸞或一鳳翔於牡丹花叢中；另一面在中央分界成左右各一方形，各雕一綬帶鳥翔於牡丹花叢中。鸞鳳與綬帶鳥皆首尾相錯地面向器中央。

此器兩面皆浮雕紋飾，原可能是他器之嵌件。

I - 22

象牙笏

Ivory hu court tablet

明

長 45 公分 最寬 5.7 公分

國贈 28525

Ming

Length: 45 cm Max.width: 5.7 cm

長弧形象牙板。

古時自天子至士皆執笏，《禮記‧玉藻》：「笏，天子以球玉，諸侯以象，大夫以魚須文竹，士竹本，象可也。」此篇中說明：凡指畫於君前用笏，造受命於君前書於笏。又，《塵史》記載笏制「初短而厚，俄而長闊，皇祐間極大而差薄，其勢向身微曲，謂之抱身，後復用直而中者。」唐代的笏短而厚，例如唐代章懷太子李賢墓中壁畫的武弁像、敦煌一三O窟壁畫樂廷懷像、西安石刻「凌煙閣功臣圖」等人物手中執笏，可見一斑。宋代笏有曲有直，但以直為多，例如院藏「宋人折檻圖」中人物即執直笏。明代笏多呈弧曲，此件擬定為明代物。

I - 23

象牙筆函與象牙筆管

Ivory writing brush and brush case

清晚期
筆函長25.7 公分 寬1.8 公分 高1.7 公分
筆管長18.8 公分 最大徑1.9 公分
國贈28581 ，28582
Late Ching
Length of brush: 18.8 cm Max. diameter.: 1.9 cm
Length of case: 25.7 cm Width: 1.8 cm Height: 1.7 cm

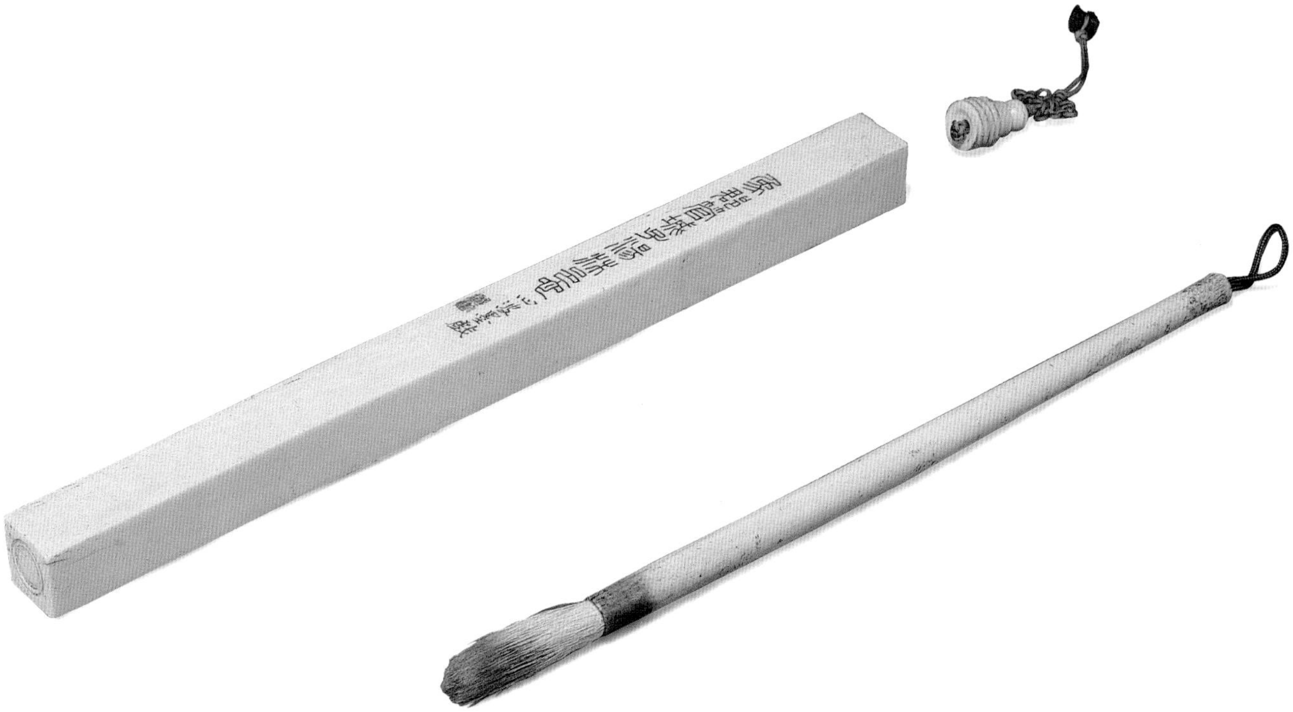

筆函乃截取一段象牙製成，中鑿圓孔，一端另取一小塊圓形牙片填塞，一端旋出螺紋，亦取一小塊牙材磨製成蓋鈕，以公螺紋與筆函之母螺紋相合。正面今陰刻篆書並填綠彩：「象郡管城子湯沐邑心」，款：「心波墨戲」，陰刻篆書印並填紅彩：「玉丁寧館」。

筆管亦截取一段象牙製成，中鑿圓孔，最大徑近筆毫部位，器表今陰刻篆書並填紅彩：「十二行玉版山房」。

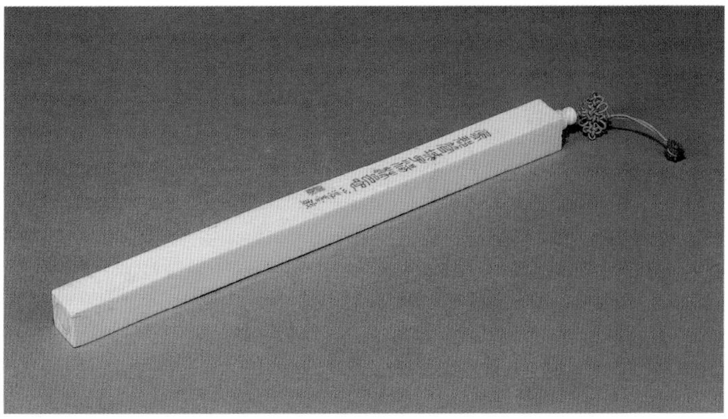

I - 24

雕象牙山水仕女筆筒

Ivory brush holder

清晚期

高（連座）15.1 公分　徑9.6 公分

國贈 28583

Late Ch'ing

Height (including the stand): 15.1 cm　Diameter: 9.6 cm

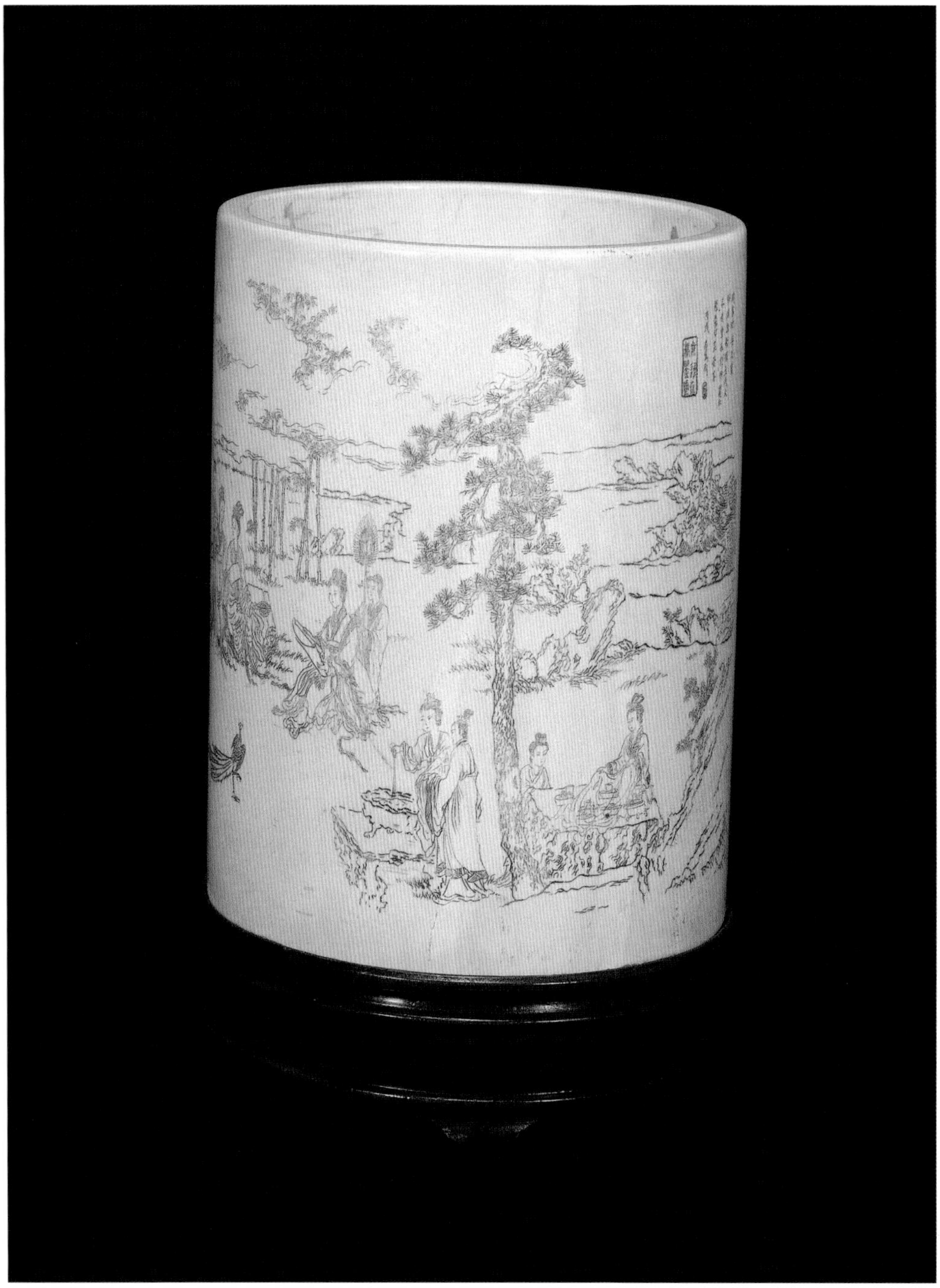

全器取一段中空象牙配以木座而成，正面淺刻仙山仕女圖，有竹林、古松與仙鶴散佈其間，右上角陰刻行書詩文：「周家昉與王家朏，津逮猶餘五代人，不是宣和珍什襲，相隨要得至崇真。」款：「丙戌，石生刻。」印：「石生」，「無逸齋珍藏璽」。另一面陰刻山水，左上角陰刻行楷詩文：「煙拂雲稍留澹白，氣蒸山腰出聲清。」款：「石生刻」，印：「時生」。

I - 25

陳子羊 雕象牙冬夜讀書臂擱 一對

Ivory armrests(set of two)

民國

長 19 公分 寬 4. 2 公分 厚 0.9 公分

國贈 28585, 28586

Republic

Length: 19 cm Width: 4.2cm Thickness: 0.9 cm

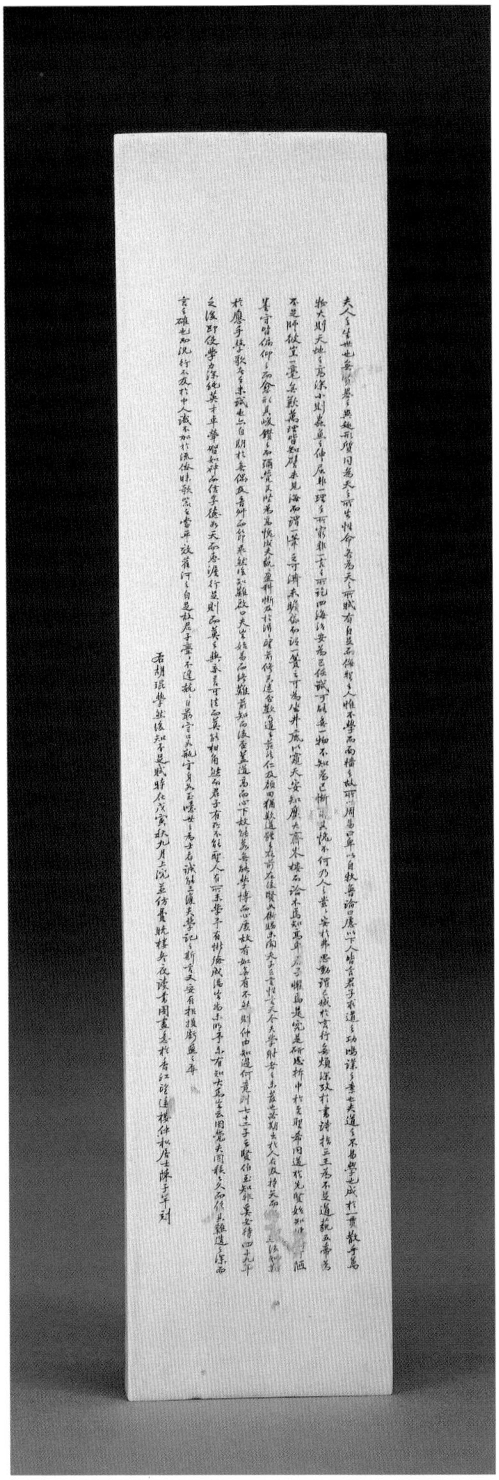

取厚象牙磋磨成厚板狀，正面雕琢紋飾或文字，背面光素。一件陰刻填黑二仕女掌燈讀書，左上方並刻詩文，款：「戊寅重九節前三日做於香島客次，陳子羊。」另一件陰刻行書胡琨「學然後知不足賦」，款：「右胡琨學然後知不足賦，時在戊寅秋九月上浣，並仿費曉樓『冬夜讀書圖』畫意於香江遠望樓，伴松居士陳子羊刻。」

「冬夜讀書圖」左上方詩文如下：

雨冷空階，冰敲小樹，短景易馳，疏燈可惜，寒凝到骨，竹榻高懸，學欲先人，湘簾初下。爰熟蘭膏，開鄴架。歲聿云暮，宜足子史於三冬，進而無疆，可補辛勤於五夜。或許新奇，或探淵雅。既隱几而澄吟，兼揮毫而披寫，一篝燈火，酬宿願於今茲；四壁蕭條，追清修於昔者；撫殘編而斷簡，高古則丘索典墳，披錦軸與牙籤，陸離則屬宋班馬。豈有窗希翦燭，共話巴山；即或聚會消寒，詎聯吟社。況復雲幕層垂，雪花六出，金獸香濃。銅龍點密，簷鐵饗而東丁，窗囗圍囗屈戌，架擁玉盃。床催寶瑟，屋小如舟，氈寒容膝；幸夜漏之未央，驚年華之欲畢，關心咀嚼，類他碧虻紅螵，銳意鑽研，盡此縹囊緗帙。夜如何其？書卷兮披，風喧斗室，人戀深帷。忘曙色之潛催，疏林月落；聽吟聲之朗徹，古寺鐘遲。神追天祿石渠之上，夢談茶香酒釅之時；意腹笥兮便便，羅列不嫌於獺祭，證心源之了了，窺探早析乎狐疑。蓋冬為四時之季，夜乃一日之餘，謂書既有典，則課讀敢負ロロ（皆漫漶），黃卷攤來，怯冷則炭然鳳凰；青箱開處，耽吟則蟫擷魚魚。鉛槧生涯，功原責密；齏鹽歲月，課不當虛。念宵積學雞窗，誰共篝燈卜夜；待他日談經虎觀，佇看政治成書。

「學然後知不足賦」全文如下：

夫人之生世也，無賢愚之異趣，形質同為天之所生，性命各為天之所賦。有自足而侮聖之人，惟不學而面牆之故。所以周易曰：「卑以自牧」，魯論曰：「慮以下人」，皆言君子求道之功，鳴謙之素也。夫道之不易學也，成於一貫，散乎萬物，大則天地之高深，小則蟲魚之伸屈，非一理之所窮，非一言之所訖。四海治安為己任，試可能無一物不知為己慚，囗其愧不？何乃人之蚩蚩，安於弗思，動謂己臧於言行，無煩深考於書詩；指三王為不足道，藐五帝不足師，彼豈一毫無歉？萬理皆知？譬未見海，而謂一葦之可濟；未瞻岱，而謂一簣之可為；坐井底以窺天，安知廣大；齊岑樓而論木，焉知高卑；君子懼焉。是究是研，思折中於至聖，希同道於先賢，抬知擬囗囗（皆漫漶）陋，墨守皆偏；仰之而愈形其峻，鑽之而彌覺其堅。為高愧成乎藐藐，盈科慚及於涓涓。望前修其逮否？嘆大道之茫然。仁及顏回，猶嘆道體之在前在後；賢如衛賜，未聞夫子之言性言天。今夫學射者之未發也，必期出於人右，及持具而囗囗，然後知難於應手，學歌者之未試也，亦自期於無偶，及音桀而節乖，然後知難啓口。夫豈始易而終難，前知而後否。蓋道高而心下，故能若無能；學博而心虛，故有如無有。不然，則仲由知過，何竟列七十二子之賢？伯玉知非，奚必待四十九年之後。即使學力深純，英才卓犖，智如神而信孚，德如天而惠渥，行足則，而莫之與京；言可法，而莫能相角。然而君子有所不能，聖人有所未學。「予有慚德」，成湯豈當未明？「予未有知」，大禹豈云罔覺？夫固積之久而信其難，造之深而言之確也。而況行不及於中人，識不加於流俗，昧攲器之當平，效藿河之自足，故君子亹亹不遑，競競自勗，守口如瓶，守身如玉。噫！世之為士者，誠能三復乎學記之斯言，又安有招損虧盈之辱。

戊寅為民國廿七年，西元一九三八年。

I - 26

象牙印矩

Ivory ruler

清晚期

長 8.1 公分 寬 5.8 公分 厚 0.5 公分

國贈28588

Late Ch'ing

Length: 8.1 cm Width: 5.8 cm Thickness: 0.5 cm

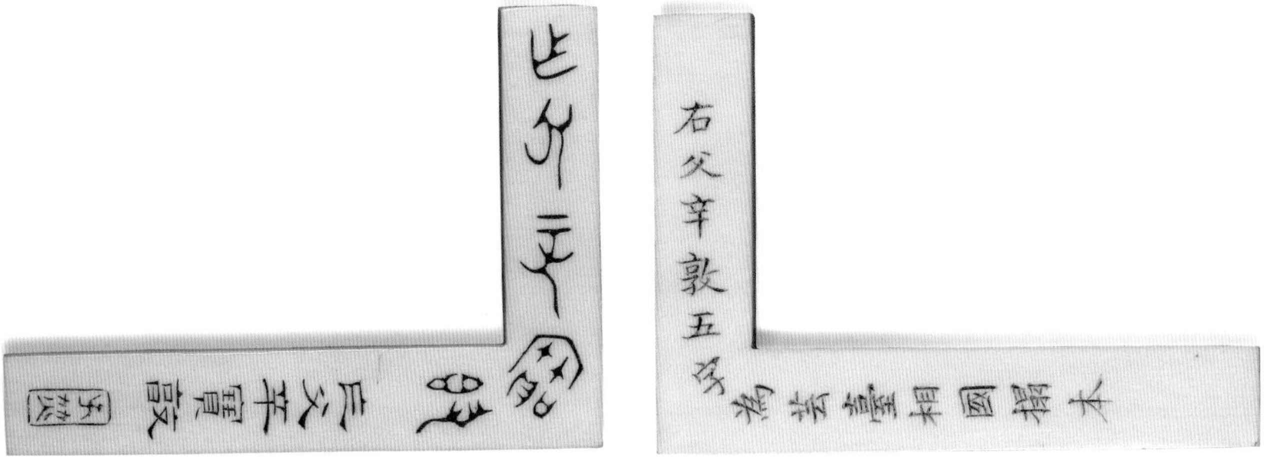

器作豎L形，一面有陰刻填藍彩金文：「乍（作）父辛寶敦」，下接陰刻填藍彩隸書：「乍（作）父辛寶敦」，再接陰刻填紅彩印：「子茇」。另一面陰刻填紅彩楷書：「右父辛敦五字為芸臺相國搨本」。

此印矩乃是鈐印時，為避免印章鈐蓋歪斜之文具。

I - 27

雕象牙卍字不斷紋翻書匕

Ivory page flipper with lattice decor

清晚期

長25 公分 寬2.5 公分

國贈28589

Late Ch'ing

Length: 25 cm Width: 2.5 cm

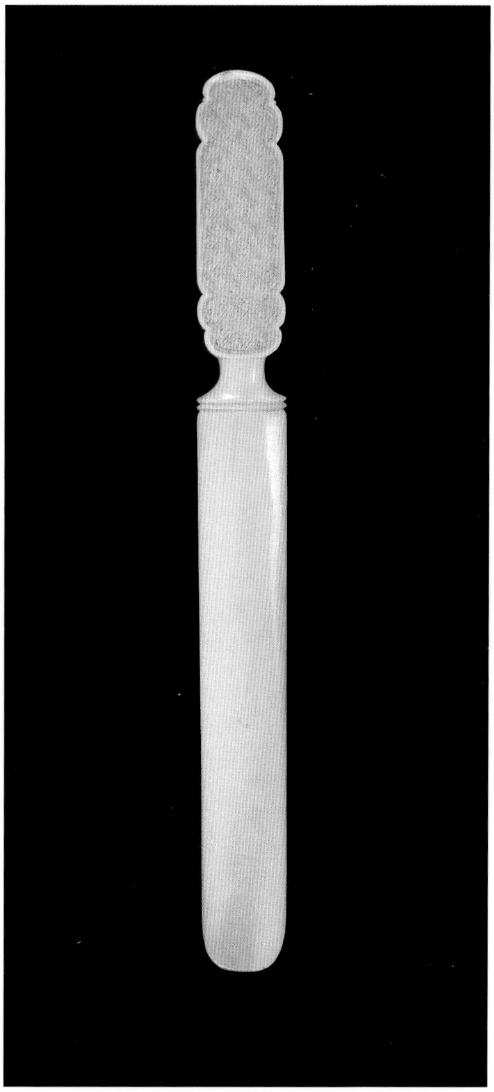

全器取一片細長象牙片磋製而成，柄部一面深刻卍字不斷紋，一面高浮雕仕女嬰戲圖。

此器乃昔日供翻閱善本古籍或書畫冊頁之用，這類書籍或書畫作品不宜用手逕觸紙或絹面，即需此類器具。清晚期西洋人士喜用此類器具作為信拆。

I - 28

雕象牙東方朔偷桃

Ivory carving of the immortal Tung-fang Shuo

清中晚期

高 14.3 公分

國贈 28609

Mid- Ch'ing

Height:14.3 cm

取一整塊象牙，雕一長髯側身、著長袍老者，並因袒胸而現出瘦骨嶙峋之身軀。右足置於一湖石上，狀似正欲穿穩鞋，面帶笑容，口中銜一折枝桃，上有四實。髮髻包巾，巾垂至背。鬚、眉、髮、睛與袍緣雲紋皆染黑。雕工生動靈活，栩栩如生。相傳漢朝有一仙人，名東方朔，曾三度偷取西王母所種仙桃，而此桃三千歲方結一次果實。此像老者口中銜桃，即寓意為東方朔。

I - 29

雕竹鏤空七賢過關香熏

Bamboo censer

明末清初

高 18.2 公分 徑 4.0 公分

國贈 28622

Late Ming to early Ch'ing

Height: 18.2 cm Diameter: 4.0 cm

取一段竹材，近口緣處雕一關口，關門敞開，半掩於山石後；關門前有二人，一長髯老者騎牛前行，一戴笠蓄鬚文士騎馬後隨；隔著山石有一行六人，四騎騾驢文士前行，另有一騎騾驢文士後隨，旁侍一肩挑花籃小童，此行五文士中有四人頭戴平頂巾幘；山石人物間浮雕松樹，其間處處鏤空，以供出煙。器身上下緣各嵌一片紫檀木為蓋與底，木蓋中央鑿一孔，以示出煙。

「七賢過關」題材曾一再出現於明代繪畫或器物上，當時人多以為是唐人，但是郎瑛在《七修類稿》書中已指出：「蓋春秋有七人，唐有七愛，宋有七老，建安有七子，未嘗稱賢也，惟晉有竹林諸人稱賢耳！又考王戎嘗乘小馬（騾也），山濤乘驢，劉伶乘鹿車，餘則乘馬，正符七人之數，跨鹿車後或訛畫為牛也。」嘉靖時的陸深也在《余臺紀聞》中說：「觀其畫衣冠騎從，當是魏晉間人物，意態若將避地者。」

I - 30

雕竹荷葉式印矩

Bamboo ruler

清晚期

長8.1 公分 寬5.8 公分 厚0.5 公分

國贈 28624

Late Ch'ing

Length: 8.1 cm Width: 5.8 cm Thickness: 0.5 cm

器略成方形，一角缺，乃作一荷葉，缺角則作葉邊上捲。

此印矩乃是鈐印時，為避免印章鈐蓋歪斜之文具。

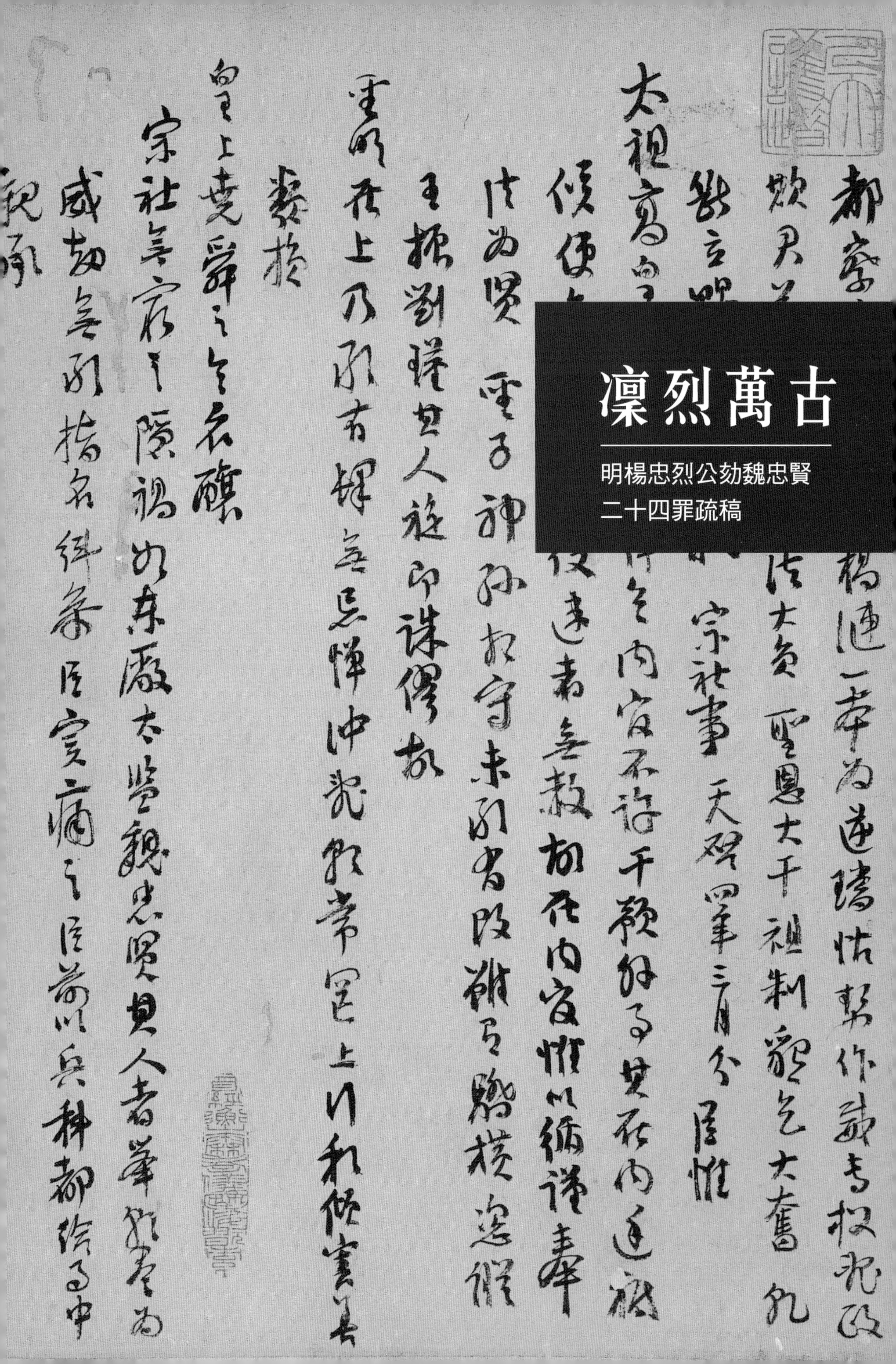

凜烈萬古

明楊忠烈公劾魏忠賢二十四罪疏稿

皇上為堯舜之君宜羣在事々者畏禍不言是臣自負忠義
初心并負風化所學以負
皇上起臣田間特恩他日何面目以見先帝于在天謹摘其大
罪之著者二十四款為我
皇上陳之忠賢原一市井無賴人耳中年淨身夤入內地小[illegible]
通文理自文書司禮執宗書之
皇上忘其服役微分拔之遂賊寵以恩私原名進忠改命今名
豈非謂其顧名思義忠不敢為奸賢不敢為惡哉乃初猶
謬為小忠小信以倖恩既乃敢為大奸大惡以亂政祖宗之制
以票擬託重閣臣非但宦官不敢參酌權無竊亦且便其一切
擬承奏章代卸自忠賢等擅權
旨意多出傳奉之二而真一字抑揚之間判若天淵傳奉而偽謬與
擬之偶令夜半出片紙殺人

凜烈萬古—玉丁寧館捐贈明楊忠烈公劾魏忠賢二十四罪疏稿

本幅紙本，縱二六．三公分；橫二一八．五公分。入藏玉丁寧館，加以裝裱成卷，有引首，紙本縱二六．三公分；橫七四．七公分。拖尾，紙本縱二五．五公分；橫一九一．五公分。本卷是楊漣於天啟四年（一六二四），以都察院左都御史身份，彈劾宦官魏忠賢二十四罪狀文稿，文記三月份書成，六月上書，越年七月二十四日，冤死。對於本件，一方是文獻保存的價值；一方是書法藝術探討。

楊漣的傳記見於《明史》列傳一百三十二，再參見其它相關資料，記述如下。

楊忠烈公名漣，明朝人，生於隆慶五年，卒於天啟五年（西元一五七二至一六二五年）。湖北應山人，字文孺，號大洪。磊落負奇節。萬曆三十五年（一六〇七）成進士，任常熟知縣，舉廉吏為第一。累遷兵科右給事中。光宗立，寢疾。漣以小臣與顧命，擁熹宗即位，力請李選侍移宮，帝稱其忠。乞歸，復起為左副都御史。魏忠賢竊柄，漣劾忠賢二十四大罪狀。忠賢使其黨徐大化，劾漣與左光斗黨同伐異，招權納賄。作故熊廷弼贓二萬，遂逮漣。比下獄，酷法拷訊，體無完膚，遂死於獄，年五十四。當其舁櫬，自鄖（湖北安陸）抵汴，哭送者士民數萬人，擁道攀號。所歷村市，悉焚香建醮，祈佑生還。崇禎初，追謚忠烈。官其一子。有《忠烈公集》。

《明史》也隨附這一篇〈疏稿〉於傳上，但文有刪節與本卷原貌有所差異。秦心波院長有一長跋，比對手書與史傳：

疏劾逆璫二十四大罪，疏稿與明史列傳一百三十二楊漣傳，次第畢同，疏稿凡三千二百八十八言，本傳止一千五百七十九言，溢出一千七百有九言。稿成於天啟四年三月，又三月，然后愬之於朝，越歲卒得罪。疏稿幾事至密，信出之忠烈親書，傳簡而稿翔，則史官之損之也，忠烈以此三千二百八十八言，受禍死，亦以此三千二百八十八言，凜烈萬古，雖九死無悔。疏稿大義危言，字字皆抉心瀝血而出，史官蓋止取其所論二十四罪之大端而已，賴此篇之存，益見魏璫驕狂荼毒之深，亦庶幾想望忠烈草疏時，鬚張髮怒，終不惜死生一擲也。

這篇原稿補了史之闕文。原件拖尾上有江兆申先生楷書錄《明史》原文，當可參照。經此一比對，原件文獻上的價值遠超過史傳，就不言而喻了。又張大千先生於本件引首用隸書題：「凜烈萬古」四字。其鈐印之一用「至寶是寶」。依大風堂收藏書畫用印例，這是被張大千先生認為「希世之珍」才用此文句鈐蓋，文義至明，當然是「天下至寶」。前考試院長孔德成資政有跋語：「綱常萬古；忠烈千秋。」也是與大千題句同樣的敬佩心情。

本卷以小行書書成，長達三千二百八十八字，無一字不是心為社稷憂，心波院長跋語：「草疏時，髯張髮怒，終不惜死生一擲也。」這是書寫時心境的寫照，字裏行間流露的是自己的感情。就書法而言，古人最重視初寫時的原稿，清代名書家王澍說：「古人稿書最佳，以其意不在書，天機自動，往往多入神解。如右軍蘭亭、魯公三稿〈祭侄文稿、爭坐位帖、告伯父文稿〉，天真爛然，莫可名貌。有意為之，多不能至。正如李將軍射石沒羽，次日試之，便不能及，未可以智力取也。」性情的流露，自然影響到書寫的風格。唐張懷瓘的〈書斷序〉有：「或寄以騁縱橫之志；或托以散鬱結之懷。」唐孫過庭〈書譜序〉，論到王羲之的書法，就說得非常清楚：「寫樂毅，則情多怫鬱；書畫贊，則意涉瓌奇；黃庭經則怡懌虛無；太師箴又縱橫爭折，既乎蘭亭興集，思逸神超；私門誡誓，情拘志慘；所謂涉樂方笑，言哀已嘆。」明祝允明，則更把性情的喜怒哀樂與書寫成果，說成「喜則氣和而字舒；怒則氣粗而字險，哀則氣鬱而字斂，樂則氣平而字麗，情有輕重，則字之斂舒險麗，亦有深淺，變化無窮，氣之清和肅化，奇麗古淡，互有出入。」（離鉤書篇）

它是一篇「稿」，但從書幅上所見，已是行行一氣，連篇清晰條貫，不同於習見的〈祭侄文稿〉，有許多文句修改的痕跡。本卷書寫的情緒從容，不急不徐，這可見忠烈公的克己功夫。我們可以理解，這時的楊公是知道「悲劇」的後果，但「終不惜死生一擲也。」古云：「慷慨赴死易；從容就義難。」「從容」見於本卷，真是忠烈本色。

書家評字求好，有強調「有意」，也有強調「無意」。「有意」的主張，如王羲之說：「凡書貴乎沉靜，令意在筆前，字居心後，未作之始，結思成矣。」強調「無意」則認為一個書家如果書寫時，有意求勝，刻意求工，這時捉管搦毫，難免為「刻意」之意所拘束，如此一來，刻意雕鑿，那只是裝腔作態了。也是忠君愛國的明末書畫家傅山就說：「先萌一意，我要使此為如何一勢，及成字後，與意之結構全乖，亦可見此中天倪，造作不得。」這是蘇東坡所說：「書初無意於佳乃佳爾。」說來也未必衝突，一個是強調落筆之前，一個是強調落筆之後。落筆之前是要先有修養構思，那才能成竹在胸，這須要「有意」的。落筆時，任性而為，衝破層層束縛。忠烈雖不以書名世，然以此件為論，書如其人，蓋人品既高，字之格必高。這一篇疏稿寫來，筆法精熟，運筆圓轉內擫，無意求工，於字之結體，並無刻意修飾，縱筆從容，沒有欹傾側媚，通篇皆和諧有致，它沒有山崩海動，沒有怒氣衝天，反覺渾樸自然。強烈的生命信念，於忠烈公是個人的悲歌，卻是民族歷史的使命感。正如前人評顏魯公〈祭侄文稿〉，為忠憤所激發，至性所鬱結，豈一般書家所能望其項背。

今此卷贈藏國立故宮博物院，與故宮原藏顏魯公〈祭侄文稿〉，「相望於八百餘年間」，後先輝映，並為一堂，人天護持，當為國人所共欽共享。（王耀庭）

Ⅱ-1

明楊忠烈公劾魏忠賢二十四罪疏稿

楊漣，隆慶五年生，天啟五年卒（西元一五七二——一六二五年）。湖北應山人，字文孺，號大洪。天啟四年（一六二四），以御史身份彈劾宦官魏忠賢，文記三月書，六月上書，越年七月二十四日冤死。以小行書書成，凡三千二百八十八字。書寫時心為社稷憂，扼腕流涕，無意求工，反覺渾樸自然。書如其人，人品既高，字格必高，與顏魯公〈祭姪文稿〉相比美。

本件為玉丁寧館捐贈。

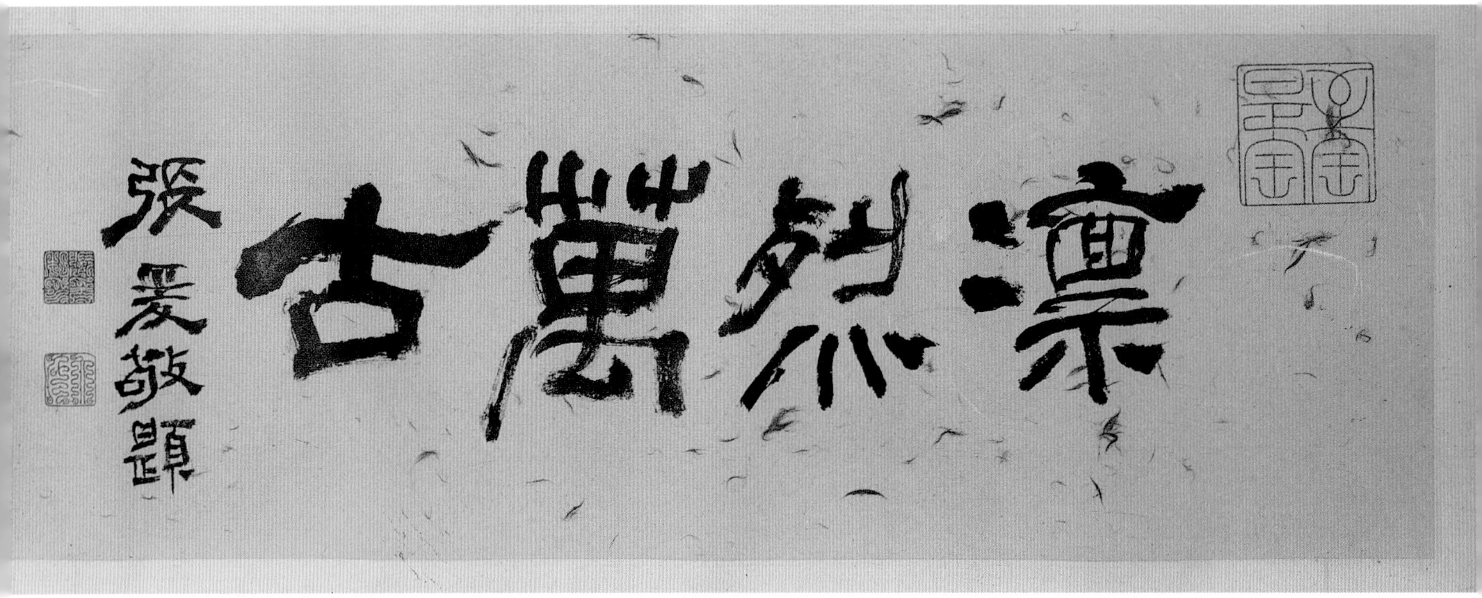

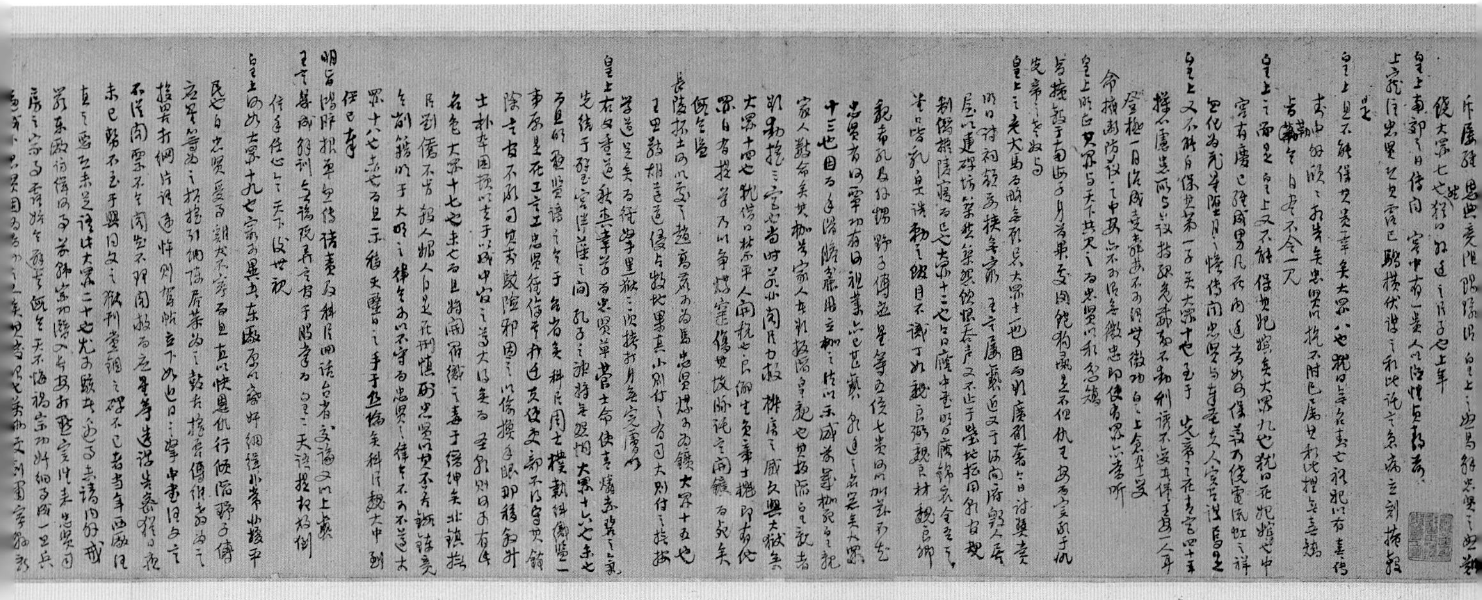

Draft on the 24 offences of Wei Chung-hsien

Yang Lien (1572-1625)

Ming Dynasty

Yang Lien wrote this draft in 1624 as Censor to impeach the high official Wei Chung-hsien. Composed in the 3rd month, it was presented to the emperor in the 6th month. Yang died, however, in prison in the 7th month of the next year. Written in small running script, it is composed of 3,288 characters. When Yang wrote it, he had grown despondent over the decline at court. As a result, he wrote in a straightforward manner without striving for technical perfection, creating a simple and natural manner. Calligraphy is a reflection of the artist. If a person is lofty, so will the calligraphy. The beauty here is comparable to that of *Draft of a Requiem for My Nephew* by Yen Chen-ch'ing. This work was donated by the Yü-ting-ning Studio.

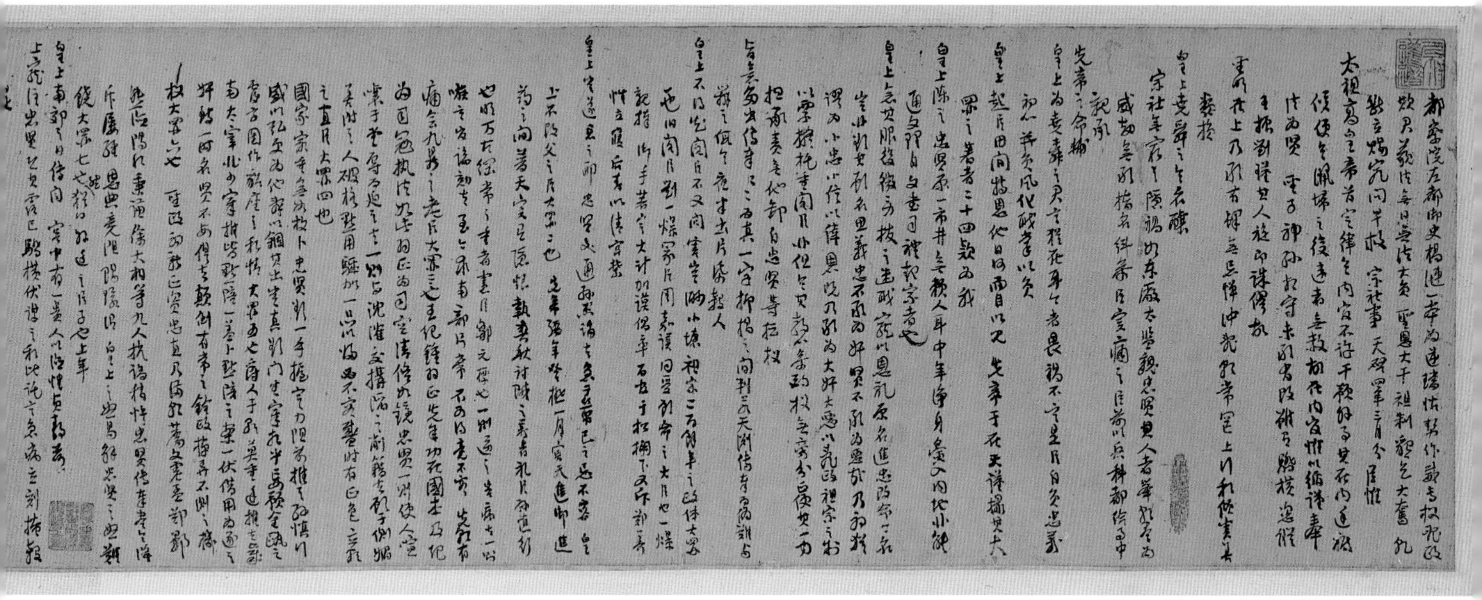

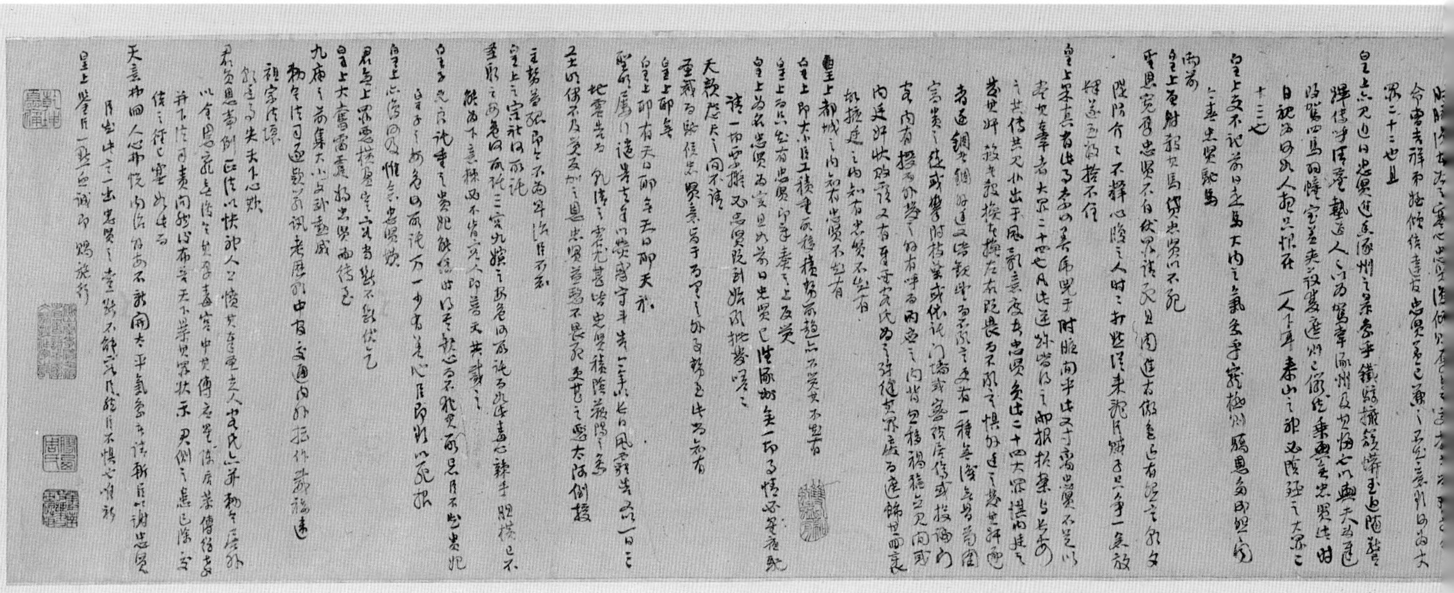

明季泰昌天啟之際楊忠烈公以一身當紅丸移宮逆璫
之禍義聲凜然忠烈初以用藥無狀劾中官崔文昇熹宗
召對宣錦衣官校以侍羣疑忠烈或且斃杖下公謂以此受上
知預顧命遂感激發憤遇事敢言不顧死移宮事急忠烈
為定宮府危疑忠哀詞切聲徹御前鬚髮為白天啟四年
春忠烈官左副都御史魏忠賢大用事朝廷孤危生民久困
溝壑六月遂劾以二十四大罪詞氣慷慨忠直悚動天下自是
諸璫日謀譖殺之又年興汪文言獄使辭連忠烈并及左忠
毅公謂受熊廷弼賄文言仰天大呼曰世豈有受贓私之楊
大洪哉忠烈下詔獄酷吏拷訊無復寸膚之完七月二十六日
與忠毅同掠死獄中年五十四母妻二子猶不免徵贓追比
鄉人爭為出貲解之魏璫定三朝要案尚欲以移宮罪之
議開棺僇屍崇禎初魏忠賢安置鳳陽尋縊死至是忠
烈始獲贈謚贈以太子太保兵部尚書謚曰忠烈
謹按疏劾逆璫二十四大罪疏稿與明史列傳一百三十二
楊漣傳次第畢同疏藁凡三千二百八十八言本傳止一千
五百七十九言溢出一千七百有九言稿成於天啟四年三月
又三月然后劾之於朝越歲卒得罪疏稾幾事至密信
出之忠烈親書傳簡而稿詳則史官之損之也忠烈以此三
千二百八十八言受禍死亦以此三千二百八十八言凜烈萬古雖九
死无悔疏藁大義危言字字皆抉心瀝血而出史官蓋止
取其所論二十四罪之大端而已賴此篇之存並見魏璫驕
狂荼毒之深亦庶幾想望忠烈草疏時髯張髮怒終不
惜死生一擲也
忠烈被禍母妻至止宿城隅二子行乞以養中書吳懷賢
讀疏擊節不免於刑戮籍沒此稿懷之妻子故吏不知
何所逃於群璫追索之手歷三百六十有餘歲無量劫來
果以何因緣竟歸之於余雖蠹蝕紙敗顧字字完好風
簷展對猶足瞭見顏色此豈非吾猶及史之闕文耶楊忠
烈公劾魏璫疏稿與故宮所藏顏魯公祭姪文稿相望於
八百餘年間茲為天地正氣之所鍾固宜長為神物之所
護持
楊公[illegible]

言高皇帝定令內官不許干預外事祗供掖廷洒埽違者法無赦
聖明在御乃有肆無忌憚濁亂朝常如東廠太監魏忠賢者敢列
其罪狀為陛下言之忠賢本市井無賴中年淨身僥入內地初猶
謬為小忠小信以倖恩繼乃敢為大奸大惡以亂政祖制以擬旨
專責閣臣自忠賢擅權多出傳奉或徑自內批壞祖宗二百餘年
之政體大罪一劉一燝周嘉謨顧命大臣也忠賢令孫杰論去急
於翦己之忌不容陛下不改父之臣大罪二先帝賓天實有隱恨
孫慎行鄒元標以公義發憤忠賢悉排去之顧於黨護選侍之沈
漼曲意綢繆終加蟒玉親亂賊而讐忠義大罪三王紀鍾羽正先
年功在國本及紀為司寇執法如山羽正為司空清修如鶴忠賢
構黨斥逐必不容盛時有正色立朝之直臣大罪四國家最重莫
如枚卜忠賢一手握定力阻首推之孫慎行盛以弘更為他辭以
錮其出豈真欲門生宰相乎大罪五爵人於朝莫重廷推去歲南
太宰北少宰皆用陪推致一時名賢不安其位顛倒銓政掉弄機
權大罪六聖政初新正資忠直乃滿朝薦文震孟熊德陽江秉謙
徐大相毛士龍侯震暘等抗論稍忤立行貶黜屢經恩典竟阻賜
環長安謂天子之怒易解忠賢之怒難調大罪七然猶曰外廷臣
子也去歲南郊之日傳聞宮中有一貴人以德性貞靜荷上寵注
忠賢恐其露己驕橫託言急病置之死地是陛下不能保其貴幸
矣大罪八猶曰無名封也裕妃以有娠傳封中外方為慶幸忠賢
惡其不附己矯旨勒令自盡是陛下不能保其妃嬪矣大罪九猶
曰在妃嬪也中宮有慶已經成男乃忽焉告殞傳聞忠賢與奉聖
夫人實有謀焉是陛下且不能保其子矣大罪十先帝青宮四十
年所與護持孤危者惟王安耳即陛下倉卒受命擁衛防維安亦
不可謂無勞忠賢以私忿矯旨殺於南苑是不但仇王安而實敢
仇先帝之老奴況其他內臣無罪而擅殺擅逐者又不知幾千百
也大罪十一今日獎賞明日祠額要挾無窮王言屢褻近又於河
間毀人居屋起建牌坊鏤鳳雕龍干雲插漢又不止塋地僭擬陵
寢而已大罪十二今日蔭中書明日蔭錦衣金吾之堂口皆乳臭
誥敕之館目不識丁如魏良卿魏良材魏良卿魏希孔及其甥傅
應星等濫襲恩蔭褻越朝常大罪十三用立枷之法戚畹家人駢
首畢命意欲誣陷國戚動搖中宮若非閣臣力持言官糾正椒房
之戚又興大獄矣大罪十四良鄉生員章士魁坐爭煤窯託言開
礦而致之死假令盜長陵一抔土何以處之趙高鹿可為馬忠賢
煤可為礦大罪十五王思敬等牧地細事責在有司忠賢乃幽置
檻阱恣意搒掠視士命如草菅大罪十六給事中周士樸執糾織
監忠賢竟傳其陛遷使吏部不得專銓除言官不敢司封駁大罪

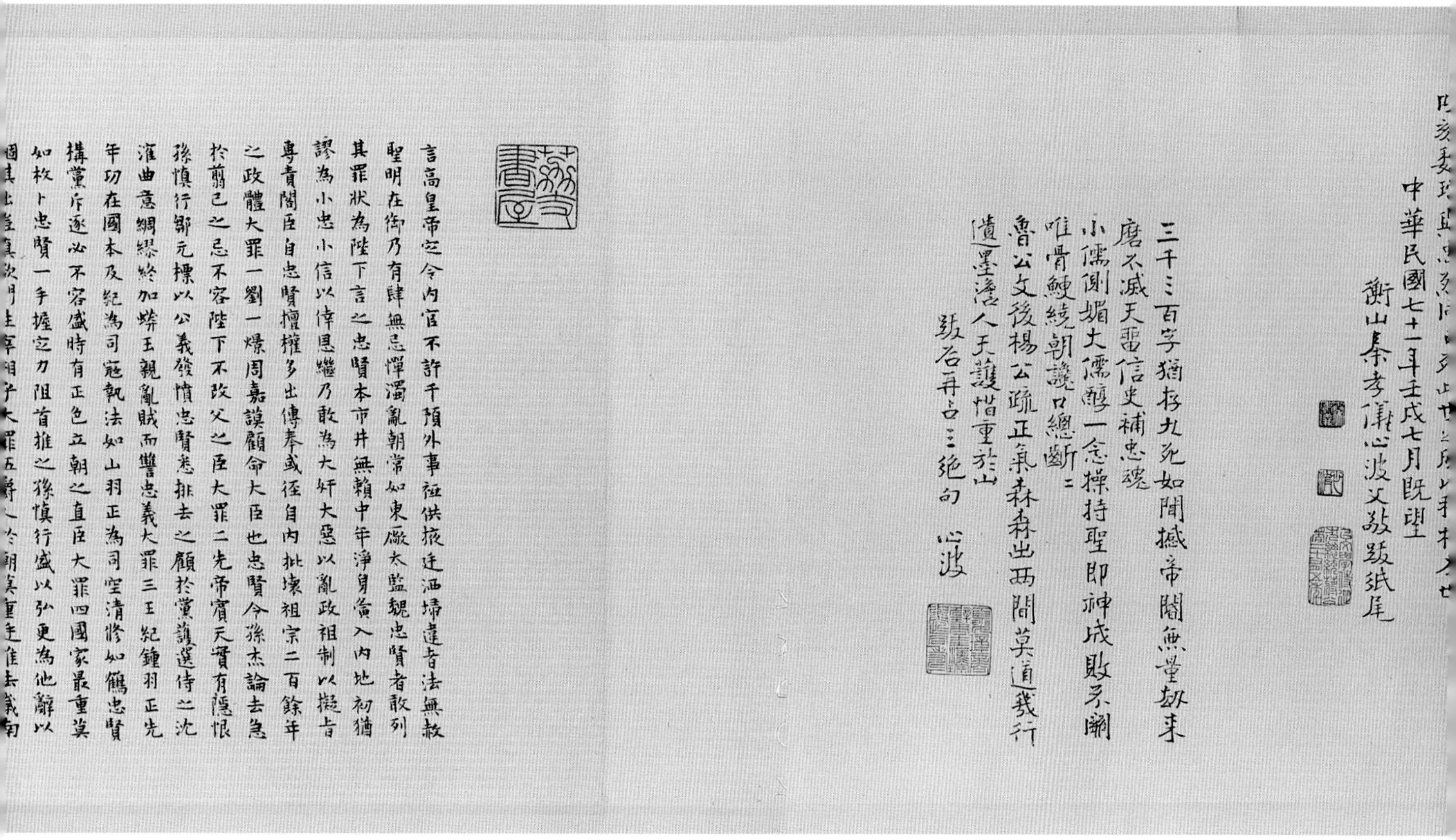
中華民國七十一年壬戌七月既望
衡山秦孝儀心波文敬跋紙尾
三千三百字猶存九死如聞撼帝閽無量劫來
磨不滅天留信史補忠魂
小儒側媚大儒醇一念操持聖即神成敗不關
唯骨鯁繞朝讒口總斷二
魯公文後楊公疏正氣森森出兩間莫道我行
遺墨淺人天護惜重於山
跋后再占三絕句　心波
言高皇帝定令內官不許干預外事祗供掖廷洒埽違者法無赦
聖明在御乃有肆無忌憚濁亂朝常如東廠太監魏忠賢者敢列
其罪狀為陛下言之忠賢本市井無賴中年淨身倖入內地初猶
謬為小忠小信以倖恩繼乃敢為大奸大惡以亂政祖制以擬旨
專責閣臣自忠賢擅權多出傳奉或徑自內批壞祖宗二百餘年
之政體大罪一劉一燝周嘉謨顧命大臣也忠賢今孫杰論去急
於翦己之忌不容陛下不改父之臣大罪二先帝賓天實有隱恨
孫慎行鄒元標以公義發憤忠賢悉排去之顧於黨護選侍之沈
漼曲意綢繆終加蟒玉親亂賊而讐忠義大罪三王紀鍾羽正先
年功在國本及紀為司寇執法如山羽正為司空清修如鶴忠賢
構黨斥逐必不容盛時有正色立朝之直臣大罪四國家最重莫
如枚卜忠賢一手握定力阻首推之孫慎行盛以弘更為他辭以
錮其出

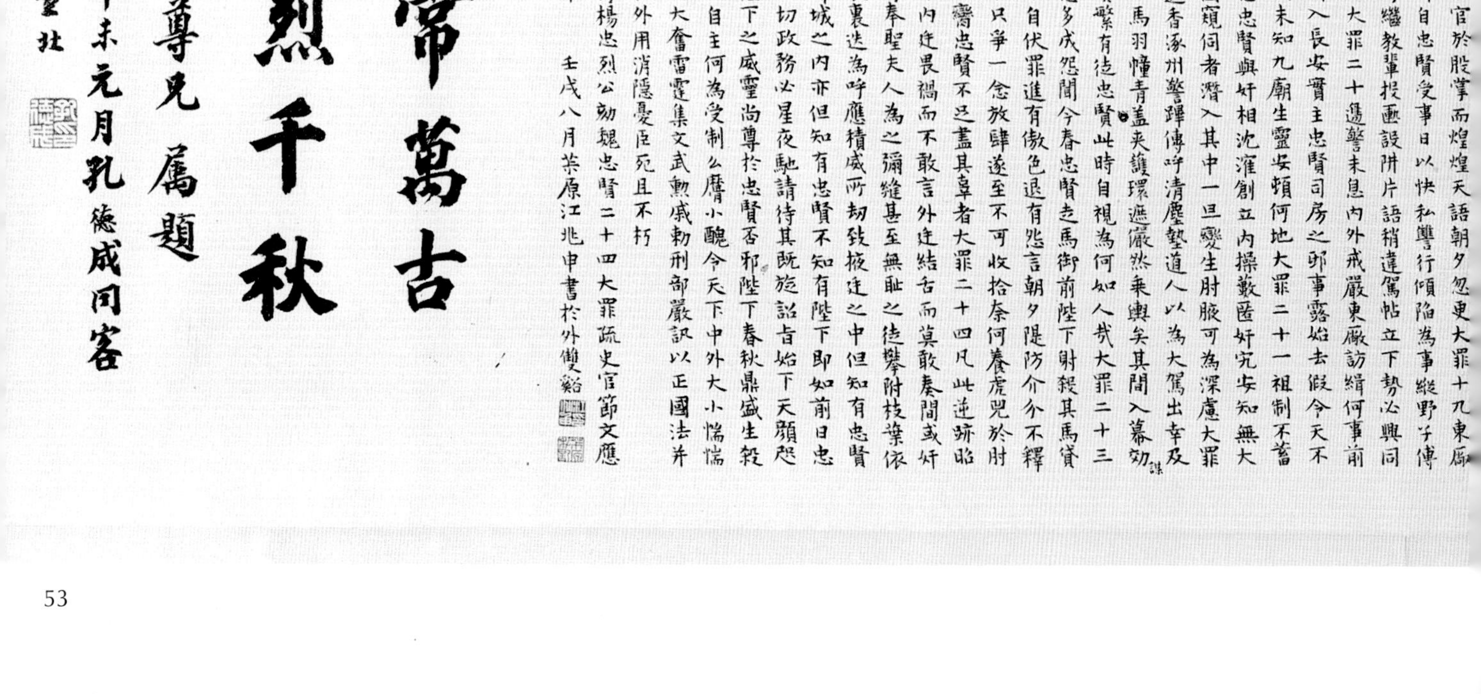
王言毋論玩言官於股掌而煌煌天語朝夕忽更大罪十九東廠
之設原以緝奸自忠賢受事日以快私讐行傾陷為事縱野子傅
應星陳居恭傅繼教輩投匭設阱片語稍違駕帖立下勢必興同
文館獄而後已大罪二十邊警未息內外戒嚴東廠訪緝何事前
奸細韓宗功潛入長安實主忠賢司房之邸事露始去假令天不
悔禍宗功事成未知九廟生靈安頓何地大罪二十一祖制不蓄
內兵原有深意忠賢與奸相沈漼創立內操藪匿奸宄安知無大
盜刺客為敵國窺伺者潛入其中一旦變生肘腋可為深慮大罪
二十二忠賢進香涿州警蹕傳呼清塵墊道人以為大駕出幸及
其歸也改駕四馬羽幢青蓋夾護環遮儼然乘輿矣其間入幕効謀
叩馬獻策者實繁有徒忠賢此時自視為何如人哉大罪二十三
夫寵極則驕恩多成怨聞今春忠賢走馬御前陛下射殺其馬貸
以不死忠賢不自伏罪進有傲色退有怨言朝夕隄防介介不釋
從來亂臣賊子只爭一念放肆遂至不可收拾奈何養虎兕於肘
腋間乎此又寸臠忠賢不足盡其辜者大罪二十四凡此逆跡昭
然在人耳目乃內廷畏禍而不敢言外廷結舌而莫敢奏間或奸
狀敗露則又有奉聖夫人為之彌縫甚至無恥之徒攀附枝葉依
託門牆更相表裏迭為呼應積威所劫致掖廷之中但知有忠賢
不知有陛下都城之內亦但知有忠賢不知有陛下即如前日忠
賢已往涿州一切政務必星夜馳請待其既旋詔旨始下天顏咫
尺忽慢至此陛下之威靈尚尊於忠賢否耶陛下春秋鼎盛生殺
予奪豈不可以自主何為受制么麼小醜令天下中外大小惴惴
莫必其命伏乞大奮雷霆集文武勳戚勅刑部嚴訊以正國法并
出奉聖夫人於外用消隱憂臣死且不朽
敬錄明史本傳楊忠烈公劾魏忠賢二十四大罪疏史官節文應
心波先生雅命　壬戌八月菜原江兆申書於外雙谿
綱常萬古
忠烈千秋
心波尊兄屬題
辛未元月孔德成同客臺北

內廷奸狀敗露後又有奉聖客氏為之彌縫其罪惡為遮飾於之
致掖廷之內知有忠賢不知有
皇上都城之內知有忠賢不知有
皇上即大小臣工積重所移積勢所趨亦不覺其不知有
皇上而只知有忠賢即章奏之上反覺
皇上為名忠賢為實且如前日忠賢已往涿州一切事情必星夜馳
請一切票擬必忠賢限到始敢批發嗚呼
天顏咫尺之間不請
聖裁而馳候忠賢意旨于百里之外事勢至此尚知有
皇上耶
皇上耶有天日耶無天日耶天祿
聖明之廣門道者幾年以來威寧宇井者二年以來長日風霾告異以一日之
地震告示氣清之震尤甚皆忠賢積陰蔽陽之象
至此保不及覺又加之恩忠賢益驕不畏死更甚之惡太阿倒授
主勢益孤即今不為早治臣不知
皇上之宗社何所託
聖躬之安危何所託三宮九嬪之安危何所託而乃使毒心辣手膽橫已不

明楊忠烈公劾魏忠賢二十四罪疏稿　局部

皇子良託……

皇上之安危以國託乃一切宮中……臣即將以死報

皇上正宜修明以及　惟念忠賢歟

君無上罪惡橫蓋宇宙者……不能伏辜

皇上大奮雷霆　將忠賢面縛至

九廟之前　集大小文武勳戚

敕令法司逮訊　考歷朝中官交通內外作威福違

祖宗法壞

以還……失天下心歟

君負恩事例　正法以快神人之憤　其奉聖夫人客氏亦並敕令居外

以全恩寵　無令厚毒宮中　其魏良卿傅應星陳居恭傅繼教

并下法司責問　以布告天下以示大戒　其側之患臣除之

使之徑已塞　然生為

天意挽回人心愉悅　內廷外朝不致蔽　開太平氣象　如請斬臣以謝忠賢

臣此言一出　忠賢之黨斷不能容臣　臣不懼亡　惟於

皇上鑒臣一點血誠　即賜施行

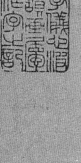

明季泰昌天啟之際楊忠烈公以一身攖紅丸移宮逆璫
之禍義聲凜然忠烈初以用藥無狀劾中官崔文昇熹宗
召對並錦衣官校以侍羣疑忠烈或且斃杖下矣謂以此受上
知預顧命遂感激發憤遇事敢言不顧死移宮事急忠烈
為定宮府危疑志哀詞切聲徹御前鬚髮為白天啟四年
春忠烈官左副都御史魏忠賢大用事朝廷孤危生民久困
溝壑六月遂劾以二十四大罪詞氣慷慨忠直動天下自是
諸璫日謀譖殺之又年興汪文言獄使辭連忠烈兼及左忠
毅公謂受熊廷弼賄文言仰天大呼曰世豈有受贓私之楊
大洪哉忠烈下詔獄酷吏拷訊無復寸膚之完七月二十六日
與忠毅同掠死獄中年五十四母妻二子猶不免徵贓追比
鄉人爭為出貲解之魏璫定三朝要案尚欲以移宮罪之

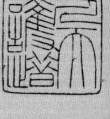

烈始獲贈謚贈以太子太保兵部尚書謚曰忠烈
謹按疏劾逆璫二十四大罪疏稿與明史列傳一百三十二
楊漣傳次第畢同疏稿凡三千二百八十八言本傳止一千
五百七十九言溢出一千七百有九言稿成於天啓四年三月
又三月然後懟之於朝越歲卒得罪疏稾載事至密信
出之忠烈親書傳簡而稿翔則史官之損之也忠烈以此三
千二百八十八言受禍死亦以此三千二百八十八言凜烈萬古雖九
死无悔疏稾大義危言字字皆抉心瀝血而出史官蓋止
取其所論二十四罪之大端而已賴此篇之存並見魏璫驕
狂荼毒之深亦庶幾想望忠烈草疏時髯張髮怒終奚
惜死生一擲也
忠烈被禍母妻至止宿城隅二子行乞以養中書吳懷賢
讀疏擊節不免於刑戮籍沒此稿懷之妻子故吏奚知
何所逃於群璫追索之手歷三百六十有餘歲無量劫來

楊忠烈公劾魏忠賢二十四罪疏稿

釋文：

都察院左都御史楊漣，一本為逆璫怙勢作威、專權亂政，
欺君藐法、無日無法，大負 聖恩，大干祖制，懇乞大奮 乾
斷，立賜究問，早救 宗社事。天啓四年三月分。臣惟
太祖高皇帝首定律令，內官不許干預外事，其在內廷衹
候、使令灑埽之役，違者無赦。故在內官，惟以循謹奉
法為賢。 聖子神孫相守，未敢有改，雖有驕橫恣縱
王振、劉瑾其人，旋即誅僇。故
聖明在上，乃敢有肆無忌憚，沖亂朝常，罔上行私，傾害善
類，損
皇上堯舜之令名，釀
宗社無窮之隱禍，如東廠太監魏忠賢其人者，舉朝盡為
威劫，無敢指名糾參，臣實痛之。臣前以兵科都給事中，
親承
先帝之命，輔
皇上為堯舜之君，言猶在耳，今者畏禍不言，是臣自負忠義
初心，并負風化職掌，以負
皇上起臣田間特恩，他日何面目以見先帝于在天？謹撮其大
罪之著者二十四款，為我
皇上陳之：忠賢原一市井無賴人耳，中年淨身，夤入內地，非能
通文理自文書司禮起家者也。
皇上念其服役微勞，拔之齒職，寵以恩禮。原名進忠，改命今名，
豈非欲其顧名思義，忠不敢為奸，賢不敢為惡哉！乃初猶
謬為小忠小信以倖恩，既乃敢為大奸大惡以亂政。祖宗之制，
以票擬托重閣臣，非但令其靜心參酌，權無旁分，正使其一力
擔承，責無他卸。自忠賢等擅權，
旨意多出傳奉，傳奉為真，一字抑揚之間，判若天淵；傳奉為偽，難與
辨之。假令夜半出片紙殺人，
皇上不得知，閣臣不及問，害豈渺小，壞祖宗二百餘年之政體，大罪
一也。舊閣臣劉一燝冢臣周嘉謨，同受顧命之大臣也。一燝
親捧 御手，著定大計，加（嘉）謨倡率百官于松棚下，又斥鄭養
性立寢后封，以清宮禁。
皇上豈遂忘之耶？忠賢交通孫杰論去，急于剪己之忌，不容 皇
上不改父之臣，大罪二也。 先帝彊年登極，一月賓天，進御進
葯之間，普天實有隱恨，執春秋討賊之義者，禮臣孫慎行
也，明萬古綱常之重者，憲臣鄒元標也。一則逼之告病去，一則
嗾言官論劾去，至今求南部片席不可得，竟不容 先朝有
痛會九鼎之老臣，大罪三也。王紀、鍾羽正，先年功在國本，及紀
為司寇，執法如此（疑為筆誤「山」），羽正為司空，清修如鏡
。忠賢一則使人喧
嚷于堂，辱而迫之去。一則與沈漼交構陷之，削籍去。顧于側媚

善附之人，破格點用，驟加一品以歸，必不容盛時有正色立朝
之直臣，大罪四也。
國家最重，無如枚卜，忠賢欲一手握定，力阻前推之孫慎行、
盛以弘，更為他辭以錮其出。豈真欲門生宰相乎？妄預金甌之
覆字，圖作貂座之私情，大罪五也。爵人于朝，莫重廷推，去歲
南太宰、北少宰推皆點陪，一蓋卜點陪之案，一伏借用為逐之
奸。致一時名賢不安俱去，顛倒有常之銓政，掉弄不測之機
權，大罪六也。　聖政初新，正資忠直，乃滿朝薦文震孟、鄭鄤
、熊德陽、江秉謙、徐大相等九人，抗論稍忤忠賢傳奉，盡令降
斥，屢經　恩典，竟阻賜環。謂　皇上之怒易解，忠賢之怒難
饒，大罪七也。然猶曰外廷之臣子也，上年
皇上南郊之日，傳聞　宮中有一貴人，以德性貞靜，荷
上寵注，忠賢恐其露己驕橫伏謀之私，比託言急病，立刻掩殺。
是
皇上且不能保其貴幸矣，大罪八也。猶曰無名封也，裕妃以有喜傳
封，中外欣欣相告矣，忠賢以抗不附己，屬其私比捏無喜，矯
旨勒令自盡，不令一見
皇上之面。是　皇上又不能保其妃嬪矣，大罪九也。猶曰在妃嬪也，中
宮有慶，已經成男，凡在內廷，當如何保護，乃繞電流虹之祥，
忽化為飛星墮月之慘。傳聞忠賢與奉聖夫人，實有謀焉。是
皇上又不能自保其第一子矣，大罪十也。至于　先帝之在青宮四十年，

操心慮患，所與護持孤危，威劫不動，利誘不變者，僅王安一人耳。
登極一月，治成堯舜，安不可謂無微功。　皇上倉卒受
命，擁衛防護之中，安亦不可謂無微忠。即使有罪，亦當聽
皇上明正其罪，與天下共見之，而忠賢以私忿，矯
旨掩殺于南海子，身首異處，肉飽狗彘，是不但仇王安，而實敢于仇
先帝之老奴，與
皇上之老犬馬，而略無顧忌，大罪十一也。因而欲廣願奢，今日討獎賞，
明日討祠額，要挾無窮，　王言屢褻，近又于河間府，毀人居
屋，以建碑坊。築愁築怨，飲恨吞聲，又不止于塋地擅用朝官規
制，僭擬陵寢而已也，大罪十二也，今日蔭中書，明日蔭錦衣，金吾之
堂，口皆乳臭，誥敕之館，目不識丁，如魏良弼、魏良材、魏良卿、
魏希孔、及外甥野子傅應星等五侯七貴，何以加茲，不知
忠賢有何覃功，有何祖業，亦已甚褻朝廷之名器矣，大罪
十三也。因而手滑膽麄，用立枷之法以示威，前歲枷死皇親
家人數命矣，其枷首家人者，欲扳陷皇親也，其扳陷皇親者，
欲動搖三宮也，當時若非閣臣力救　椒房之戚，久興大獄矣，
大罪十四也。猶借口禁平人開稅也，良鄉生員章士魁，即有他
罪，自有提學，乃以爭煤窯，傷其墳脈，託言開鑛而死矣，
假令盜
長陵抔土，何以處之，趙高鹿可為馬，忠賢煤可為鑛，大罪十五也。
王思敬、胡遵道，侵佔牧地果真？小則付之有司，大則付之撫、按、

學、道足矣，而逕拏黑獄，三次拷打，身無完膚。以
皇上右文重道，秋爽幸學，而忠賢草菅士命，使青燐赤碧之氣，
先結于璧宮泮藻之間，　孔子之神，將無怨恫？大罪十六也。未也，
而且明懸監謗之令于台省矣，科臣周士樸，執糾織監一
事，原是在工言工，忠賢徑停其升遷，支使吏部不得守其銓
除，言官不敢司其封駁，險邪因之以偷換手眼，那移敘升，
士朴卒困頓以去，于以成中官之尊大得矣，而　聖朝則何可有此
名色，大罪十七也。未也，而且將開羅織之毒于縉紳矣。北鎮撫
臣劉僑不肯殺人媚人，自是在刑慎刑，忠賢以其不善鍛鍊，竟
令削籍，明于大明之律令，可以不守，而忠賢之律令，不可不遵，大
罪十八也。未也，而且示移天毉（翳之借字）日之手于絲綸矣。科臣魏大
　中到
任，已奉
明旨，鴻臚報單，忽傳詰責，及科臣回話，台省交論，又以上褻
王言，幾成解訓，無論玩弄言官于股掌，而　皇皇天語，提起放倒，
信手任心，令天下後世，視
皇上何如？大罪十九也。最可異者，東廠原以察奸細，緝非常，非擾平
民也。自忠賢受事，雞犬不寧，而且，直以快恩仇、行傾陷。野子傅
應星等，為之招搖引納，陳居恭為之鼓舌搖唇，傅繼教為之
投罟打網，片語違忤，則駕帖立下，如近日之拏中書汪文言，
不從閣票，不令閣知，不理閣救，而應星等造謀告密，猶日夜
未已，勢不至于興同文之獄，刊黨錮之碑不已者，當年西廠汪
直之惡，恐未足語，此大罪二十也。尤可駭者，邊事未靖，內外戒
嚴，東廠訪緝何事？前韓宗功潛入長安打點，實往來忠賢司
房之家，事露，始令避去，假令天不悔禍，宗功奸細事成，一旦兵
逼城下，忠賢固為首功之人矣，其發銀七萬兩，更創肅寧縣新
城，誠可作眉鄔深藏，不知九門內外，生靈安頓何地？大罪二十
一也。又可恨者，王者守在四夷，　祖制不蓄內兵，原有深意，忠賢
謀同奸相沈潅，創立內操，不但使親戚羽黨交互盤踞其中，
且安知其無大盜刺客，寄名內相家丁，倘或伺隙謀亂，發于
肘腋，識者為之寒心。忠賢復傾財厚與之交接，昔劉瑾招納亡
命，曹吉祥弟姪，傾結達官，忠賢蓋已兼之，不知意欲何為？大
罪二十二也。且
皇上亦見近日忠賢進香涿州之景象乎？鐵騎擁簇，蟒玉追隨，警
蹕傳呼，清塵墊道，人人以為駕幸涿州，及其歸也，以輿夫為遲，
改駕四馬，羽幢寶蓋，夾護雙遮，則已儼然乘輿矣，忠賢此時
自視為何如人？想只恨在　一人下耳。泰山之神，必陰殛之，大罪二
十三也。
皇上更不記前日走馬大內之氣象乎？寵極則驕，恩多成怨，聞
今春，忠賢馳馬御前，
皇上曾射殺其馬，貸忠賢以不死。
聖恩寬厚，忠賢不自伏罪請死，且聞進有傲色，近有怨言，朝夕
隄防，介介不釋，心腹之人，時時打點，從來亂臣賊子，只爭一念放
肆，遂至收拾不住。

皇上果真有此事，奈何養虎兕于肘腋間乎？此又寸臠忠賢，不足以
盡其辜者，大罪二十四也。凡此逆跡，皆得之邸報招案，與長安
之共傳共見，非出於風影意度者。忠賢負此二十四大罪，惧內廷之
發其奸，殺者殺，換者換，左右暨畏而不敢言。惧外廷之發其奸，逐
者逐，錮者錮，外廷又皆觀望而不敢言。更有一種無識無骨苟圖
富貴之徒，或攀附枝葉，或依託門牆，或密結居停，或投誠門
客，內有授而外發之，外有呼而內應之，向背忽移，禍福立見，間或
內廷奸狀敗露，又有奉聖客氏，為之彌縫其罪戾，而遮飾其罪衷。
故掖廷之內，知有忠賢，不知有
皇上，都城之內，知有忠賢，不知有
皇上。即大小臣工，積重所移，積勢所趨，亦不覺其不知有
皇上，而只知有忠賢。即章奏之上，反覺
皇上為名，忠賢為實。且如前日，忠賢已往涿州矣，一切事情，必星夜馳
請，一切票擬，必忠賢既到，始敢批發，嗟嗟，
天顏咫尺之間，不請
聖裁，而馳候忠賢意旨于百里之外，事勢至此，尚知有
皇上耶？無
皇上耶？有天日耶？無天日耶？天□（字損）
聖明，屢行譴告，去年以熒惑守斗告，今年以長日風霾告，又以一日三
地震告，而　乾清之震尤甚，皆忠賢積陰蔽陽之象。
聖明偶不及覺，反加之恩，忠賢益愍不畏死，更甚之惡，太阿倒授，

主勢益孤，即今不為早治，臣不知
皇上之宗社何所託？
聖躬之安危何所託？三宮九嬪之安危何所託？而如此毒心、辣手、膽橫，
已不
能為下意棘，必不肯容人，即普天共戴之
皇子元良，託重之貴妃，能保時得其歡心，而不犯其所忌。臣不知貴妃
皇子之安危何所託？萬一少有差池，臣即欲以死報
皇上，亦復何及。惟念忠賢欺
君無上，罪惡橫盈，豈容當斷不斷，伏乞
皇上大奮雷霆，將忠賢面縛至
九廟之前，集大小文武勳戚
敕令法司，逐款嚴訓。考歷朝中官，交通內外，擅作威福，違
祖宗法，壞
朝廷事，失天下心，欺
君負恩事例，正法以快神人公憤。其奉聖夫人客氏，亦并勅令居外，
以全恩寵，無復令其厚毒宮中。其傳應星、陳居恭、傅繼教，
并下法司責問，然後布告天下，暴其罪狀，示　君側之患已除，交
結之徑已塞。如此而
天意弗回，人心弗恍，內治外安，不新開太平氣象者，請斬臣以謝忠賢。
臣知此言一出，忠賢之黨，斷不能容臣，然臣不惧也，唯祈
皇上，鑒臣一點血誠，即　賜施行。

前四句單行入律唐人舊格而意境恣逸則東坡本色誦灝不及崔司勳黃鶴樓詩而撇手遊行之妙則不減義山杜司勳一首

意境開拓而理趣亦極融徹

[illegible]池懷舊

人[illegible]似應似飛鴻踏雪泥泥上偶然留指爪

鴻[illegible]西老僧已死成新塔壞壁無由見舊題

往日崎嶇還記否路長人困蹇驢嘶自注往歲馬死於二陵騎驢至澠池

次韻劉京兆石林亭之作石本唐苑中物散流民

間劉購得之

都城日荒廢往事不可還惟餘古苑石漂散尚人間公來始購蓄不憚道里艱忽從塵埃中來對冰雪顏瘦骨拔凜凜蒼根漱潺潺唐人惟奇章好石古莫攀盡令屬牛氏刻鑿紛斑斑嗟此本何常聚散實循環人失亦人

悠字懸脚
三字未雅

得要不出匣寳君看劉李未不能保河關況此百株石
鴻毛於泰山但當對石飲萬事付等閑

和劉長安題薛周逸老亭周善飲酒未七十而致
仕

近聞薛公子早退驚常流買園招野鶴鑿井動潛蚪自
言酒中趣一斗勝涼州翻然拂衣去親愛挽不留隱居
亦何樂素志庶可求所亡嗟無幾所得不啻酬青春為
君好白日為君悠山鳥奏琴筑野花弄閑幽雖辭功與
名其樂實素侯至今清夜夢尚驚冠壓頭誰能載美酒
往以大白浮之子雖不識因公可與遊

博古好史—玉丁寧館捐贈善本古籍

玉丁寧館藏品中，除了竹、木、牙、骨等器物與書法字帖外，古籍藏書也相當豐富，其中以史部圖書最夥，版本則以明、清刻本為主，旁及民初與日本刻本。秦前院長休致前，將珍藏的四十二部二千二百三十冊的舊籍悉贈本院，為紀念秦前院長對文物的共享與無私，特舉辦此次展覽，然侷限於展覽空間之故，僅選《通志堂經解》、《史記》、《一切經音義》、《蘇文忠公詩集》展出，分別代表經、史、子、集四部，時間涵蓋明、清兩代，版本有官刻、坊刻、朱墨套印及日本刊本，說明玉丁寧館藏書四部俱備，版本及數量多元豐富的特色。

翻閱秦前院長所贈的藏書，可以從以下幾個方面，看出他對於圖書蒐羅的獨到眼光以及審慎態度。

首先，慎選版本。在他收藏的古籍之中，明版書數量最多，有十八部；清版書則有十二部；另有日本刊本三部，以及九部民國以後的印本。其中，年代最早的一部書是明正德三年（一五〇八）建陽劉氏慎獨齋刊《群書考索》，這是南宋章如愚編的類書。此書曾在南宋間刊行，後遭回祿失傳；元代出現刻本，惟量少罕見；明代的刻本，則以正德間建陽書坊慎獨齋本最古，此為福建省建陽縣衙自按察史僉事院賓手中取得，委請當地書坊刊刻。由於此書仍保有部份元刻特色，古拙質樸，版本頗佳；同時也見證了明代官府委託民間書坊刻書的情況。

其次，庋藏善本。藏書中不乏罕見古籍，像是清康熙十九年（一六八〇）刊《通志堂經解》便是最早的初刻本，為流傳稀少的善本之一；今日所見多屬乾隆五十年（一七八五）重新補刻的內府刊本。乾隆年間，高宗在披覽四庫館臣所呈的康熙間刊《通志堂經解》後，見該書序文寫於康熙十二年（一六七三），編者納蘭性德當時年甫十六，疑惑其何以能博通經籍，遂下令詳查，始知原來是大儒徐乾學代性德所編。乾隆雖感慨納蘭性德邀譽沽名，徐乾學逢迎權要，兩人品行實不足為取；然此叢書薈萃諸家，典瞻賅博，有表章六經之功，故不以人廢言，仍命四庫館根據康熙間刊《通志堂經解》，將其漫漶斷闕處補刊齊全，通行全國。由此看出，乾隆皇帝的識見洞明，人才重品，且重視經術教育，也間接突顯了此部《通志堂經解》初印本的難得可貴。

最後，愛好史書及類書。秦前院長所捐圖書，僅史部即有二十部五百七十三冊，近乎藏書半數，尤以正史居多，像是《漢書》、《前後漢書》、《北史》、《南史》、《唐書》等等，顯示藏書主人偏愛蒐史，此與秦前院長具以古為鑑、博古好史的文史素養有關。而蒐書的另一種類型，為子部類書，包括《藝文類聚》、《初學記》、《唐宋白孔六帖》、《錦繡萬花谷》、《新編古今事文類聚》，以及《群書考索》，總共六部之多，亦佔子部類圖書半數以上。類書的功用，在於詳錄古籍相關事物的記載，依類編排，俾便查詢檢索辭藻典故，為實用性的學術工具書，從而體察出秦前院長留心學問的求真細究態度。

秦前院長蒐藏圖書，不若一般藏書家獨好宋版書的佞宋心理，然慎選版本、尚古好史的理念，仍蒐羅了不少珍貴善本。其藏書價值，不僅在於書籍本身，無形中也透露出藏書主人的文史觀點與人生態度。（許媛婷）

秦前院長孝儀捐贈圖書清單

書名	版本	冊數	統一編號
通志堂經解	清康熙十九年（一六八〇）通志堂刊本	四六三	贈善023474-023936
史記	明萬曆二十四年（一五九六）南京國子監刊本	二〇	贈善023937-023956
前漢書	明崇禎十五年（一六四二）虞山毛氏汲古閣刊本	八	贈善023957-023964
漢書	明末錢塘鍾人傑校刊本	二〇	贈善023965-023984
後漢書	明末錢塘鍾人傑校刊本	一六	贈善023985-024000
後漢書	明崇禎十六年（一六四三）虞山毛氏汲古閣刊清順治間修補本	八	贈善024001-024008
晉書	明崇禎元年（一六二八）虞山毛氏汲古閣刊清順治間修補本	三二	贈善024009-024040
南齊書	明崇禎十年（一六三七）虞山毛氏汲古閣刊清順治間修補本	一〇	贈善024041-024050
北齊書	明崇禎十一年（一六三八）虞山毛氏汲古閣刊清順治間修補本	六	贈善024051-024056
南史	明崇禎十三年（一六四〇）虞山毛氏汲古閣刊清順治間修補本	一二	贈善024057-024068
北史	明崇禎十二年（一六三九）虞山毛氏汲古閣刊清順治間修補本	二四	贈善024069-024092
唐書	明崇禎二年（一六二九）虞山毛氏汲古閣刊本	五〇	贈善024093-024142
新元史	民國十九年（一九三〇）徐氏退耕堂刊本	六〇	贈善024143-024202

書名	版本	冊數	統一編號
元書	清宣統三年（一九一一）層漪堂刊本	二〇	贈善024203-024222
蒙兀兒史記	民國三十三年（一九四四）結一宧刊本	二八	贈善024223-024250
明史稿	清康熙間敬慎堂刊本	六四	贈善024251-024314
清史稿	民國十六年（一九二七）清史館排印本	一三一	贈善024315-024445
明通鑑	清光緒二十三年（一八九七）湖北書局重刊本	四〇	贈善024446-024485
水經注	民國二十四年（一九三五）上海商務印書館景印明永樂大典本	八	贈善024486-024493
闕里文獻考	清乾隆二十七年（一七六二）刻本	八	贈善024494-024501
昭德先生郡齋讀書志	民國二十二年（一九三三）上海商務印書館複印本	八	贈善024502-024509
重廣補注黃帝內經素問	日本安政三年（一八五六）翻刊明嘉靖二十九年（一五五〇）武陵顧氏覆宋本	九	贈善024510-024518
藝文類聚	明嘉靖戊子（七年，一五二八）長洲陸采刊本	三〇	贈善024519-024548
初學記	明嘉靖十年（一五三一）錫山安國桂波館覆宋刊本	二四	贈善024549-024572
唐宋白孔六帖	明嘉靖間蘇州覆宋刊本	一〇〇	贈善024573-024672
錦繡萬花谷	明嘉靖丙申（十五，一五三六）年錫山秦汴繡石書堂刊本	四〇	贈善024673-024712
新編古今事文類聚	明嘉靖辛酉（四十年，一五六一）書林楊歸仁重刊本	八〇	贈善024713-024792

群書考索	明正德戊辰（三，一五〇八）年建陽劉氏慎獨齋刊本	一〇〇	贈善024793-024892
一切經音義	日本元文三年（一七三八）江戶獅谷白蓮社刊本	五〇	贈善024893-024942
續一切經音義	日本延享三年（一七四六）高野山北室院刊本	五	贈善024943-024947
老子翼、莊子翼	明萬曆十六年（一五八八）王元貞校刊本、明覆萬曆戊子十六年王元貞刊本	五〇	贈善024948-024957
歐陽文忠公全集	清嘉慶二十四年（一八一九）歐陽衡校刊本	二〇	贈善024958-024977
蘇文忠公詩集	清同治八年（一八六九）韞玉山房朱墨套印本	一二	贈善024978-024989
丘海二公文集合編	清同治十年（一八七一）邱氏可繼堂刊本	一〇	贈善024990-024999
曾文忠公全集	清光緒三年（一八七七）刊本	一一	贈善025000-025010
弗堂類稿	民國十九年（一九三〇）中華書局鉛印四部備要本	一二	贈善025011-025022
欽定全唐文	清嘉慶十九年（一八一四）武英殿刊本	五〇四	贈善025023-025526
皇朝文鑑	民國複印本	二〇	贈善025527-025546
惜陰軒叢書	清光緒二十二年（一八九六）長沙刊本	一一七	贈善025547-025663
鐵華館叢書	清光緒九年至十年（一八八三－一八八四）長洲蔣氏景本	六	贈善025664-025669
天祿琳琅叢書第一集	民國二十、二十一年（一九三一－一九三二）故宮博物院影印本	二八	贈善025670-025697
欽定四庫全書	民國複印本	六	贈善025698-025703

Ⅲ- 1

通志堂經解

清康熙十九年（1680）通志堂刊本

（清）納蘭性德 輯

463 冊

贈善 023474-023936

T'ung-chih-t'ang ching-chieh（*T'ung-chih-t'ang Collection of Commentaries on the Classics*）

Imprint of the T'ung-chih-t'ang Studio, 1680

Compiled by Na-lan Hsing-te (of the Ch'ing Dynasty)

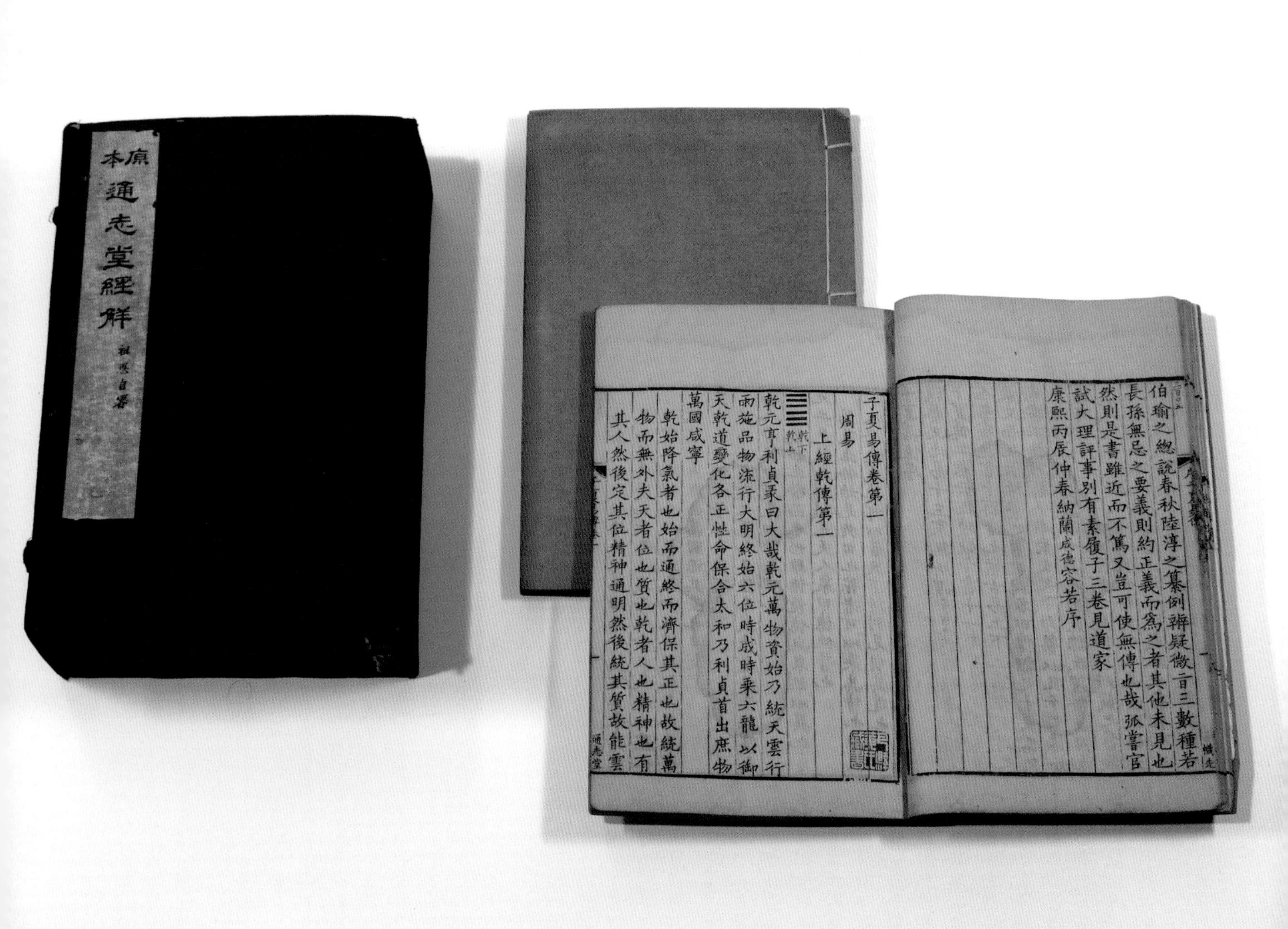

清納蘭性德、徐乾學輯刻《通志堂經解》，為清代一部大型的經解叢書。「通志堂」是納蘭性德的室名，全書采輯宋、元兼及明朝儒者說經之書，計一百四十種，一千七百餘卷，為薈萃諸家解經的重要著作。此部為康熙十九年的初刻本，雕鏤精良；到了乾隆年間，內府按此書版補闕重刊，開啟清代續編經解叢書的風氣。

Ⅲ- 2

史記

明萬曆二十四年（1596）南京國子監刊本

（漢）司馬遷 撰（宋）裴駰 集解（唐）司馬貞 索隱（唐）張守節 正義

20 冊

贈善 023937-023956

***Shih-chi*（*Records of the Grand Historian*）**

Imprint based on a 1596 edition issued by the Ming Directorate of Education in Nanking, with woodblocks restored during the Ch'ung-chen (Ming) and Shuh-chih (Ch'ing) reigns

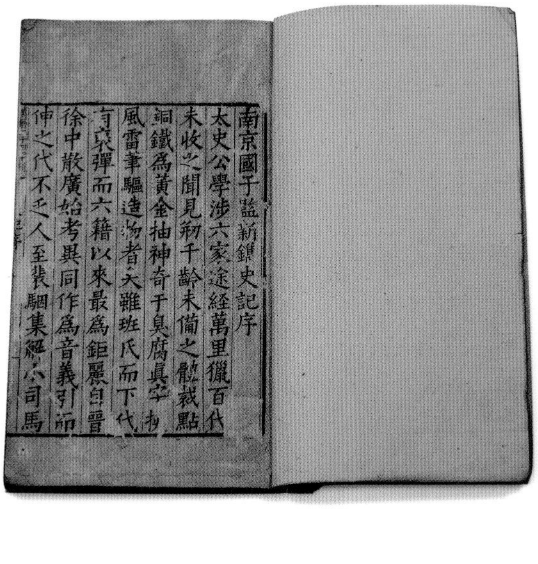

自《史記》成書以來，歷代流傳的版本已達六十餘種，居史書之冠。此部為明萬曆二十四年國子監刻本，部份版葉殘闕，間有明末崇禎至清順治間遞修補版的書葉。是書由南監祭酒馮夢禎主持雕印，內引裴駰、司馬貞、張守節三家注，並詳為讎校，雕梓精嚴，為明代重要的官刻本。

Ⅲ- 3

一切經音義

日本元文三年（1738）江戶 獅谷 白蓮社刊本

（唐） 釋慧琳 撰

50 冊

贈善 024893-024942

Yi-chieh-ching yin-yi（*An Explanation of All the Foreign Technical Terms Found in the Buddhist Works Translated from the Sanskrit, with an Examination of the Correct Sounds*）

Printed by the Byakurensha Printhouse in Shishigatani, Japan, 1738

Written by Shih Huei-lin（of the T'ang Dynasty）

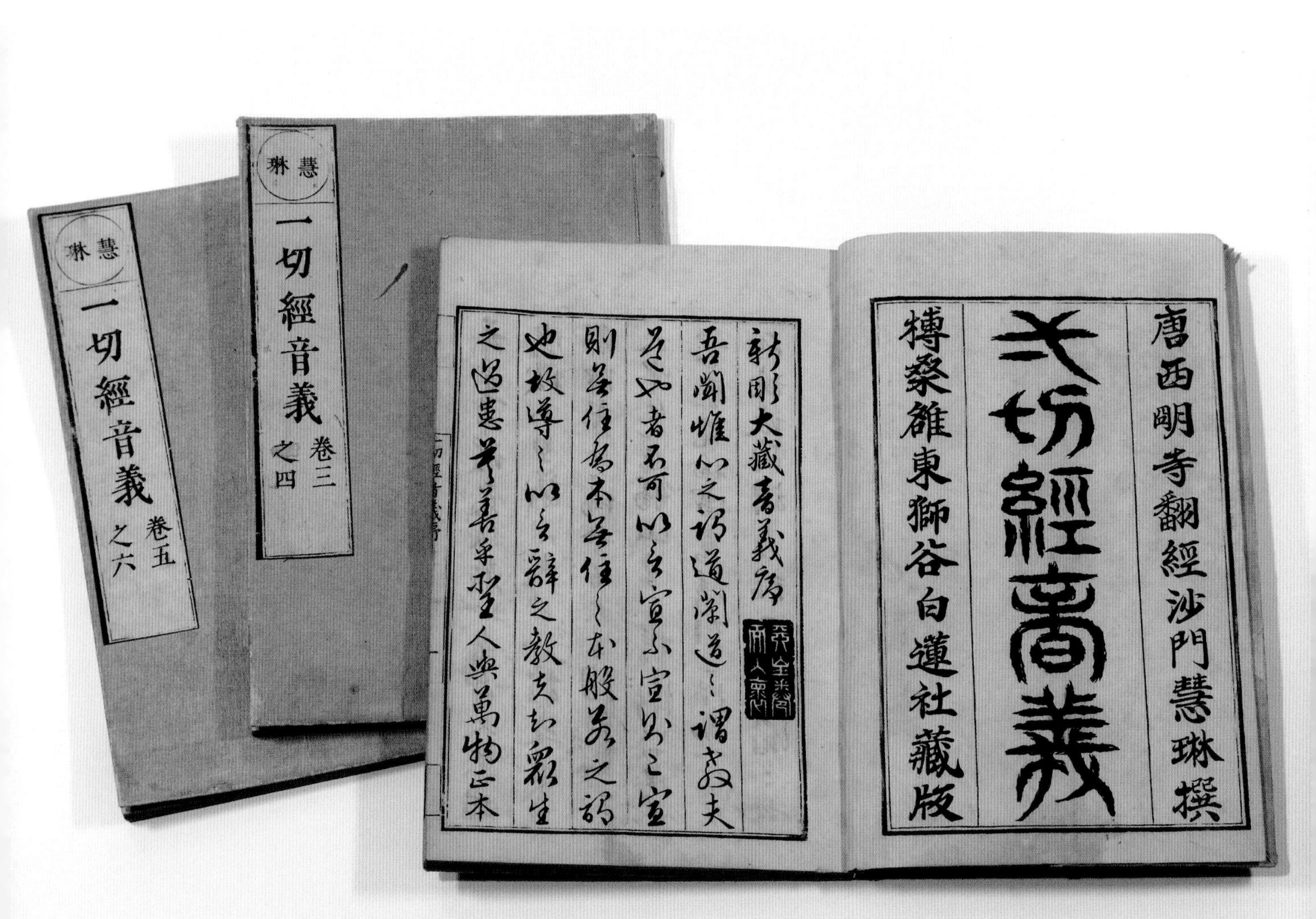

《一切經音義》，為一部解釋佛經字音及字義的書。慧琳成書於中唐時期，所見古書甚多，審音詮義，辨析字形，詳引書證，對研究文字訓詁與輯佚校勘古籍，甚為重要。該書以高麗藏經本最佳，此部為日本翻刻高麗藏經本，是目前較為通行的版本。

Ⅲ- 4

蘇文忠公詩集

清同治八年（1869）韞玉山房朱墨套印本

（宋）蘇軾 撰（清）紀昀 評點

12 冊

贈善 024978-024989

Su Wen-chung-kung shih-chi（*The Collected Poems of Su Shih*）

Printed in red and black by the Yün-yü-shan-fang Studio, 1869

Written by Su Shih（of the Sung Dynasty）

Annotated and punctuated by Chi Yün（of the Ch'ing Dynasty）

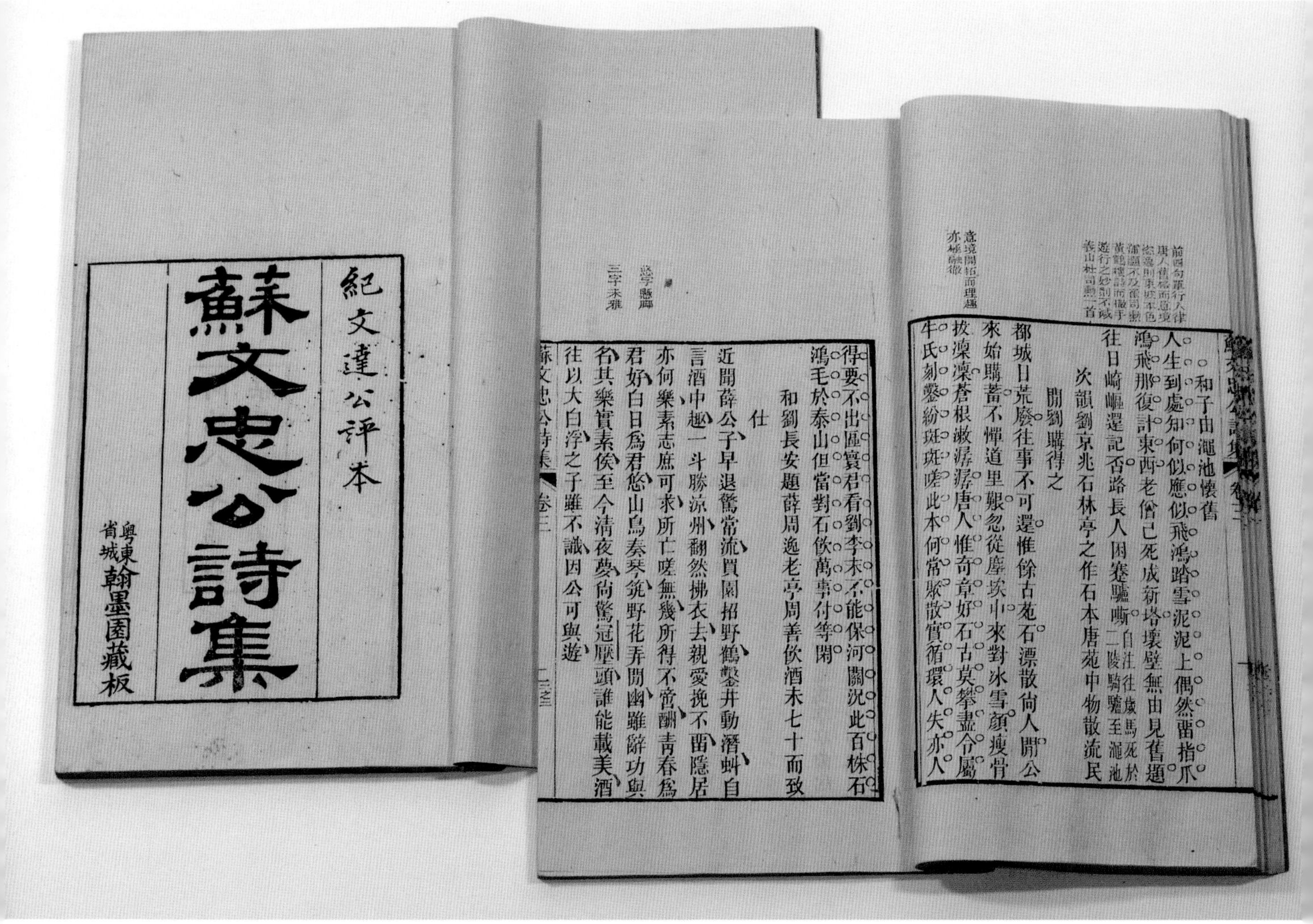

蘇東坡一生為官，然在文學及書畫藝術上的表現，成就不斐。其才氣縱橫，於詩詞、辭賦、散文，皆煥然成章。此書收錄東坡詩作近二千四百餘首，乃紀昀反復吟詠蘇詩後，感觸所得，眉批於上，至五閱而成篇。在眾多蘇詩評點本中，紀昀評語謹嚴，文辭則溫婉含蓄，顯見曉嵐喜愛蘇詩之情，亦反映出清初文風。

篆山隸海

玉丁寧館翰墨

為張睢陽齒為顏常山舌
或為遼東帽清操厲冰雪
或為出師表鬼神泣壯烈
或為渡江楫慷慨吞胡羯
或為擊賊笏逆豎頭破裂
是氣所磅礴凜烈萬古存
當其貫日月生死安足論

篆山隸海—玉丁寧館翰墨

遠自北宋時期，文人士大夫喜好為書蹟寫作跋語，內容或長或短，體裁不拘一格，信筆寫來真切有味，往往為原作提供許多相關訊息。宋四家之一米芾（一〇五二－一一〇八），特別看重自己的跋語，自名為「跋尾書」，不肯輕易題贈他人，跋語敝帚自珍在書史上傳為美談。宋以後歷代沿襲成風，跋語兼有文章和書法之美，與原作相得益彰，成為欣賞書法不可或缺的一部分。玉丁寧館主人秦先生，與宋人所好略同，因此欣賞秦先生的書法，跋語也是重要的一環。秦先生退休之前，已將所藏明代〈楊忠烈公劾魏忠賢二十四罪疏稿〉手卷捐贈本院收藏，正文之後有秦先生端楷跋文和詩作，本次紀念展隨同正文一起展出。閱讀跋語可以了解秦先生護惜歷史文物的心意，得知楊漣（一五七二－一六二五）其人其事，同時領略到秦先生的楷書，從唐代書家褚遂良（五九六－六五八）得法，融會隸書筆意，體勢開展別具一格。

秦先生習慣用楷書寫跋語，自書自跋的作品，跋語常以解釋書法內容為先；若為篆古書作跋語，必定加以楷釋或者記明由來，和昔日董作賓先生（一八九五－一九六三）書寫甲骨必加楷釋的習慣相同。秦先生有時也在跋語中追述早年經歷，或者抒發個人的心志和感觸，如篆書〈文天祥正氣歌〉，跋語追憶往日艱苦歲月中讀正氣歌以養浩然之氣，對眼前時局不免感慨憂心。又如〈自篆司空表聖詩品〉，跋語從學詩情懷說起，嚮往杜甫、李白、白居易和陸游的沈雄氣魄，連帶述及自己渡海來臺，追隨先總統 蔣公的經過。可知秦先生的書跋，不止於文章、書法之美，同時也是反映時代的直接史料。

「篆山隸海尋錐畫，鷗地凫天看賦詩」，這幅書聯託付秦先生多年來詩書情懷，讀來餘音裊裊似真非真。公餘之暇秦先生寄情詩文、書法，日久漸有可觀，廣達電腦教育基金會於是加以收集，於民國九十三年出版《玉丁寧館詩存》和

《玉丁寧館賸墨》，本次紀念展展出的詩稿，也收錄在《詩存》中，由此得見秦先生有書錄詩作的習慣。秦先生始終偏好篆書的古調，漢篆、秦篆以至於秦篆以前的古文字，長年臨池不輟。《賸墨》中猶可見八十三歲臨古書作，從殷商甲骨文以至於戰國金文，溫故知新作一系列探索，臨寫的範圍也包括大陸出土的古器物。八十三歲是秦先生用功書法的高峰期，篆古書課之外，草書如孫過庭〈書譜〉、懷素〈自敘帖〉，也列入書課之中。跋語中提到此時被眼疾困擾，寫字或許有助於紓解。在臨畢〈自敘帖〉之後，不忘記述懷素用功之勤，也附帶透露自己喜愛篆書，曾經夢想來日能與二李（李斯、李陽冰）一較長短；文中同時幽默自己，當年懷素「以狂繼顛」，如今自己寫來卻似「以拙嗣狂」。

秦先生浸潤篆古多年，晚年進入融合的境地，前述〈文天祥正氣歌〉也作於八十三歲，全然自己的面貌。細勁的筆畫猶見粗細變化，起筆、收筆或者藏鋒有如綴珠，或者出鋒露尖，互見剛柔。整體筆勢以「方」濟「圓」，如漢金文中帶有隸意，不以圓轉的律動為主導。其中篆法兼容各體，賦有新意，古文鳥跡蟲書的天然意象、大篆圖畫的趣味以及繆篆曲伸的韻律，皆在筆端會流。「㞢」（之）、「□」（牛）、「□」（白）、「□」（自）寫來如字亦如畫，予人廣闊的想像空間；「□」（嶽）、「□」（能）、「□」（命）將偏旁移位結組，跳脫一定的基型，展現篆書結體的靈活。全作體現篆書的藝術特質，沒有拘限在篆法的規矩中。

除了篆書之外，秦先生寫隸書也嘗試融會之途，與清代書家與古為新的方向一致。由於長久沉潛作篆，以篆入隸寫來得心應手，八十三歲所書商湯銘，結體微見扁方，筆勢靈動，兼顧和扇面的弧度取得和諧，為經驗累積之作。〈隸書七言聯〉也是同一年的作品，「無」字篆意十足，相近漢代〈校官碑〉的寫法；「有」、「清」、「字」也見或多或少與篆法相融，運作方折的筆勢來去自如。全作從結體醞釀方整平和，彷彿楷書的意趣，波磔收筆不露鋒芒，自有一種含蓄的韻味。秦先生篆、隸、真、草各體兼長，成就當以篆書為高，本次紀念展多為晚年之作，值得愛好書法的朋友一起來欣賞。（王競雄）

IV- 1

篆書 七言聯

Couplet (in seven-character verse) on the scarcity of heroes and good literary works
Seal script

115.5 x 22 cm x 2

2000

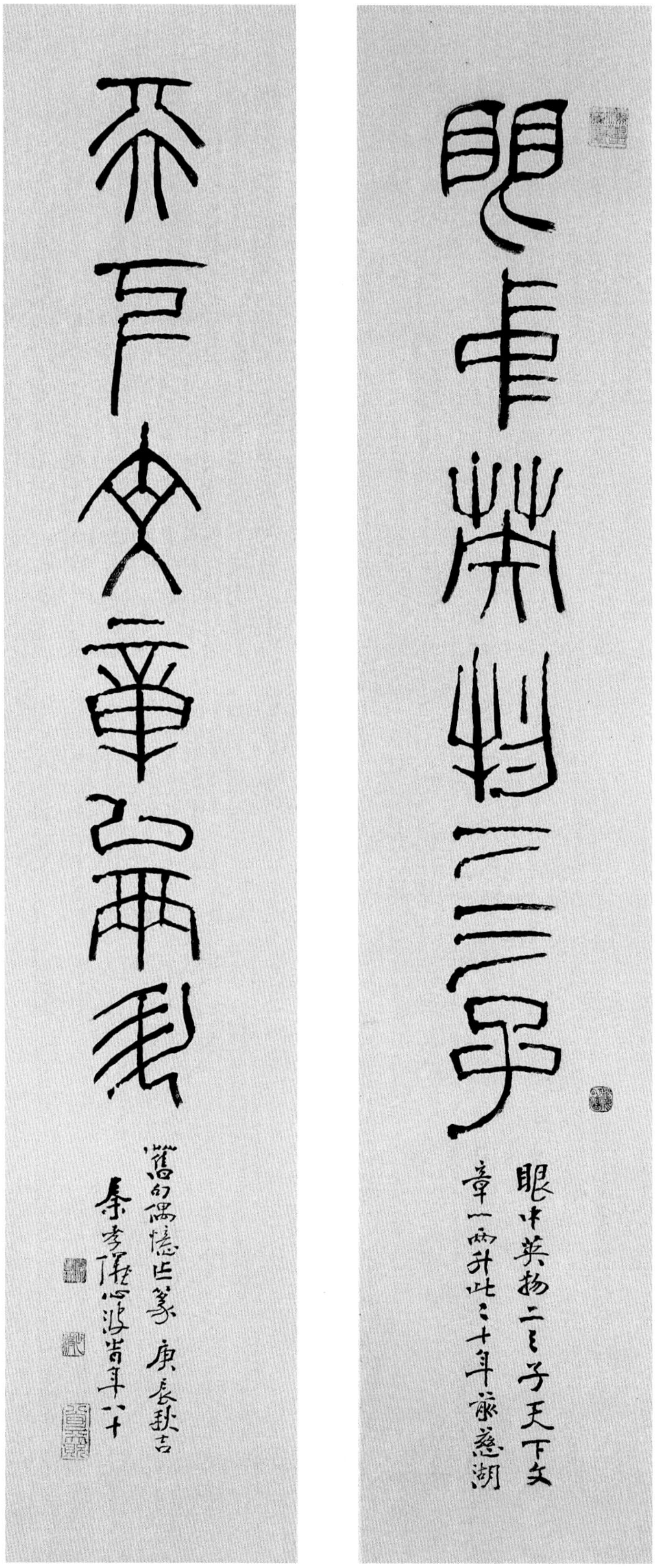

眼中英物二三子，
天下文章一兩升。

跋文　「眼中英物二三子，天下文章一兩升。」此二十年前慈湖舊句，偶憶作篆。庚辰（二〇〇〇）秋吉秦孝儀心波時年八十。

鈐印　瀟湘之山衡山高、衡雲淮海、秦孝儀、心波、八旬天既。

註　此為作者民國七十年（一九八一）詩稿「辛酉九月十五日慈湖謁陵兼尋舊館陳跡一律」中之一聯。

IV- 2

甲骨文 五言聯：殷墟貞卜文

Couplet (in five-character verse) by Wang T'an of the Ch'ing dynasty
Oracle bone script

109cm x 16.2cm x 2
2003

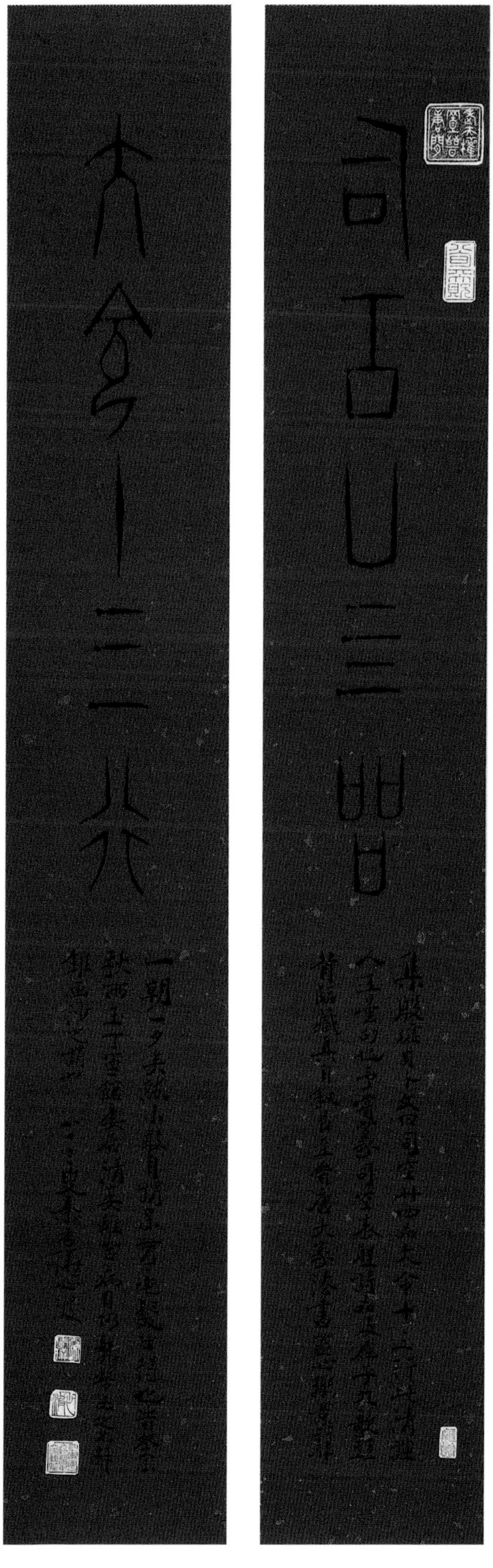

司空廿四品，
大令十三行。

跋文 集殷墟貞卜文曰：司空廿四品，大令十三行，此清詩人王曇句也。予嘗篆司空表聖詩品、及屈子九歌，並背臨藏真自敘以至晉唐大家法書，蓋心嚮景行非一朝一夕矣，然未敢自謂果有毫髮之得也。時癸未〈二〇〇三〉秋雨，玉丁寧館廛居清晏，雖苦病目，仍髣髴為之，不辭錐畫沙之誚也。八十三叟秦孝儀心波。

鈐印 老夫權置晉唐間、八旬天貺、玉丁寧館、秦孝儀、心波、五千年往古文物近百年文史兼監。

IV- 3

篆書 文天祥正氣歌　橫幅

"Ballad of the Righteous Integrity" by Wen T'ien-hsiang of the Sung dynasty

Seal script

69.5 x 259 cm

2003

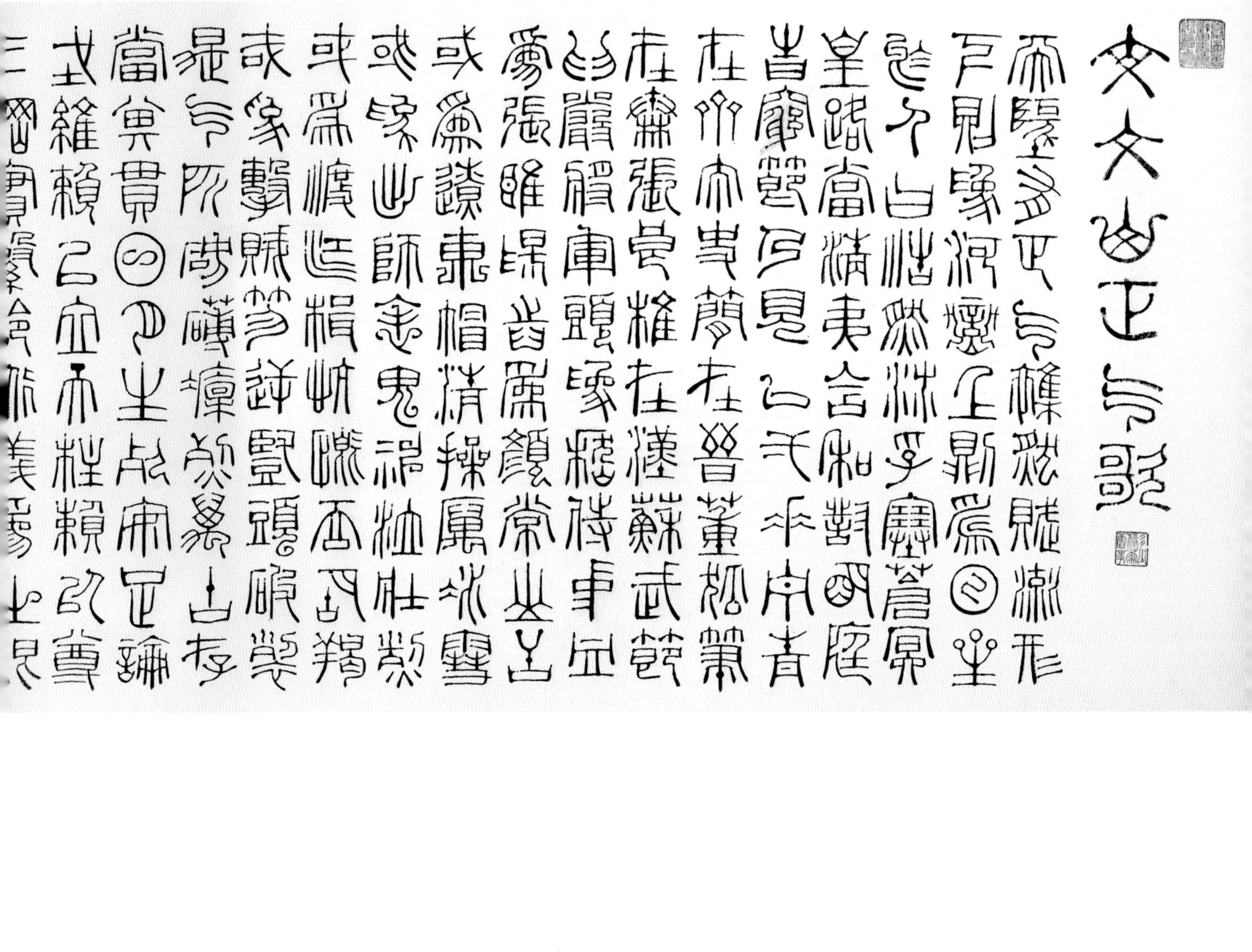

原文不錄

跋文

文文山正氣歌絃誦感興，垂七百年。孝儀生於辛酉二月，十歲而孤，十七歲而更國（憂），藺足空山，歌呼自解。二十五歲抗戰慘勝，烽火再起，渡江越海，又瀕於危亂者屢矣，顧往往讀正氣歌以養浩然之氣。晚近舉目斯世，益不免魚爛土崩之懼；枯坐小齋，欲強自靜定，因擷正氣歌作篆，不自覺其一鉤一撇如刃如戟矣。唯望道揆再振，法守式張，民彝不替，含靈日安，此則予雖及耄者，仍所以日禱於上下神祇者也。

癸未（二〇〇三）暮春之初，玉丁寧館風簷，秦孝儀心波時年八十有三。

第二行藺足空山上奪一「憂」字，嗟乎耄矣。又正文第三行沛乎塞蒼冥，「乎」誤篆為「孚」，姑以通假。

鈐印

夏璋商璧周圭漢琮與此同壽、多少蓬萊舊事、衡雲淮海、秦孝儀、心波、八旬天覘。

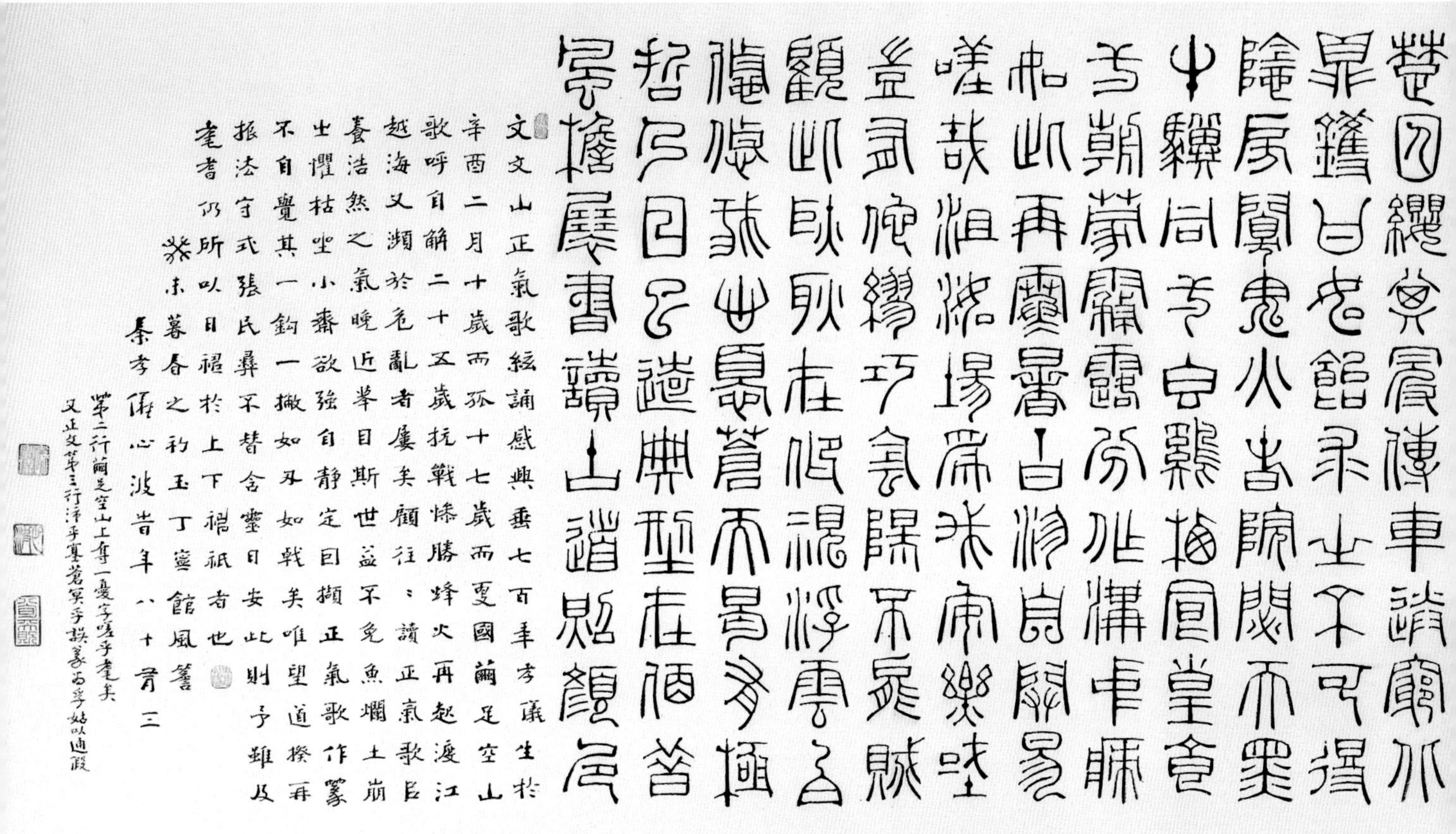

楚囚纓其冠傳車送窮北
鼎鑊甘如飴求之不可得
陰房闃鬼火春院閟天黑
牛驥同一皂雞棲鳳凰食
一朝蒙霧露分作溝中瘠
如此再寒暑百沴自辟易
嗟哉沮洳場為我安樂國
豈有他繆巧陰陽不能賊
顧此耿耿在仰視浮雲白
悠悠我心悲蒼天曷有極
哲人日已遠典刑在夙昔
風簷展書讀古道照顏色
文文山正氣歌絃誦感興垂七百年孝儀生於
辛酉二月十歲而孤十七歲而更國難足空山
歌呼自解二十五歲抗戰慘勝烽火再起渡江
越海又瀕於危亂者屢矣顧往〻讀正氣歌已
養浩然之氣晚近舉目斯世益不免魚爛土崩
之懼枯坐小齋欲強自靜定曰擷正氣歌作篆
不自覺其一鈎一撇如矛如戟矣唯望道揆再
振法守式張民彝不替含靈日安此則予雖及
耄耆仍所以日禱於上下神祇者也
癸未暮春之初玉丁寧館風簷
秦孝儀心波昔年八十有三
第二行兩足空山上奪一憂字嗟乎耄矣
又正文第三行沛乎塞蒼冥乎誤篆而乎姑以適假

Ⅳ- 4

篆書　七言聯：篆山隸海

Couplet (in seven-character verse) of self-reflection

Seal script

107.5 x 26 cm x 2

2003

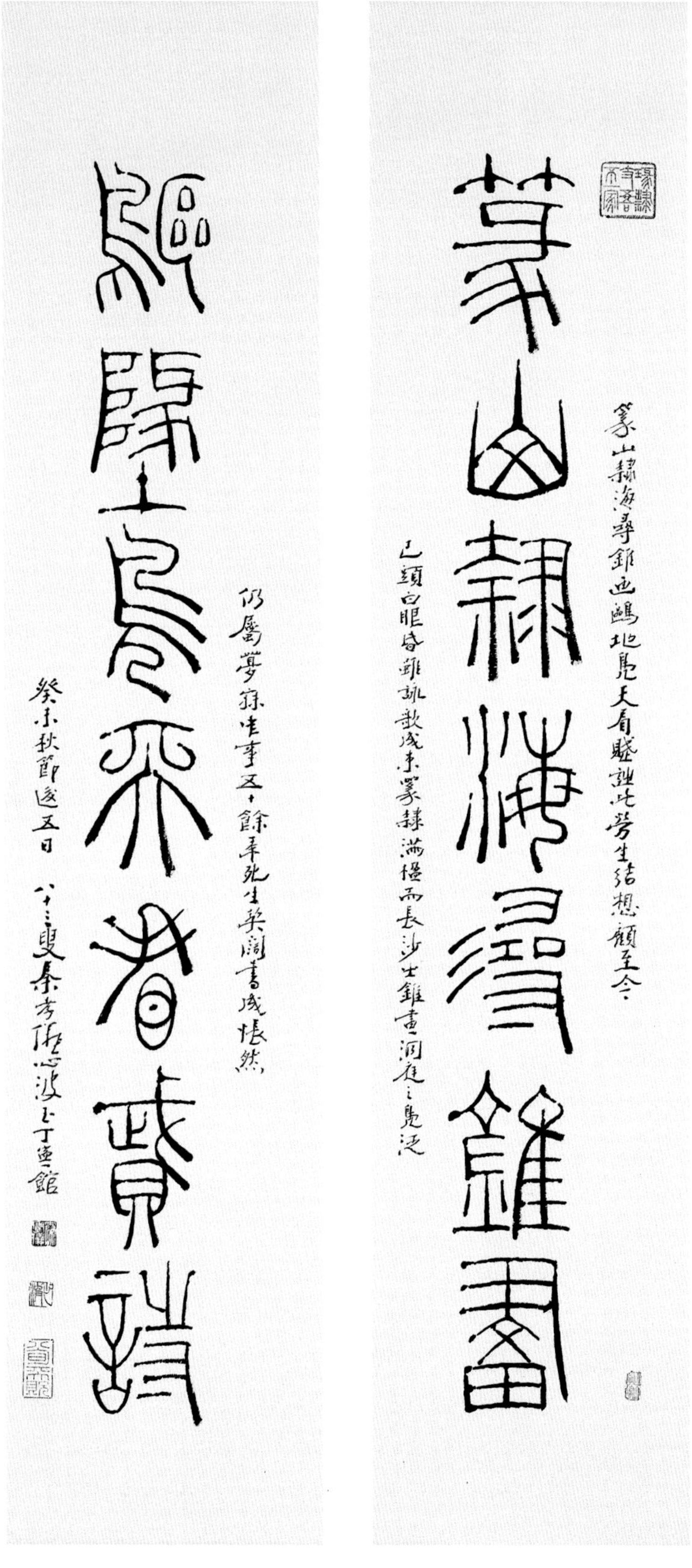

篆山隸海尋錐畫，

鷗地鳬天看賦詩。

跋文　「篆山隸海尋錐畫，鷗地鳬天看賦詩。」此勞生結想，顧至今已頭白眼昏，雖詠歌成束，篆隸滿楹，而長沙之錐畫，洞庭之鳬泛，仍屬夢寐中事，五十餘年，死生契闊，書成悵然。癸未（二〇〇三）秋節後五日，八十三叟秦孝儀心波玉丁寧館。

鈐印　篆隸支吾不一家、玉丁寧館、秦孝儀、心波、八旬天貺。

IV- 5

隸書　七言聯：正雅・來禽

Couplet (in seven-character verse) on the arts of poetry and calligraphy

Clerical script

137.5 x 34 cm x 2

2003

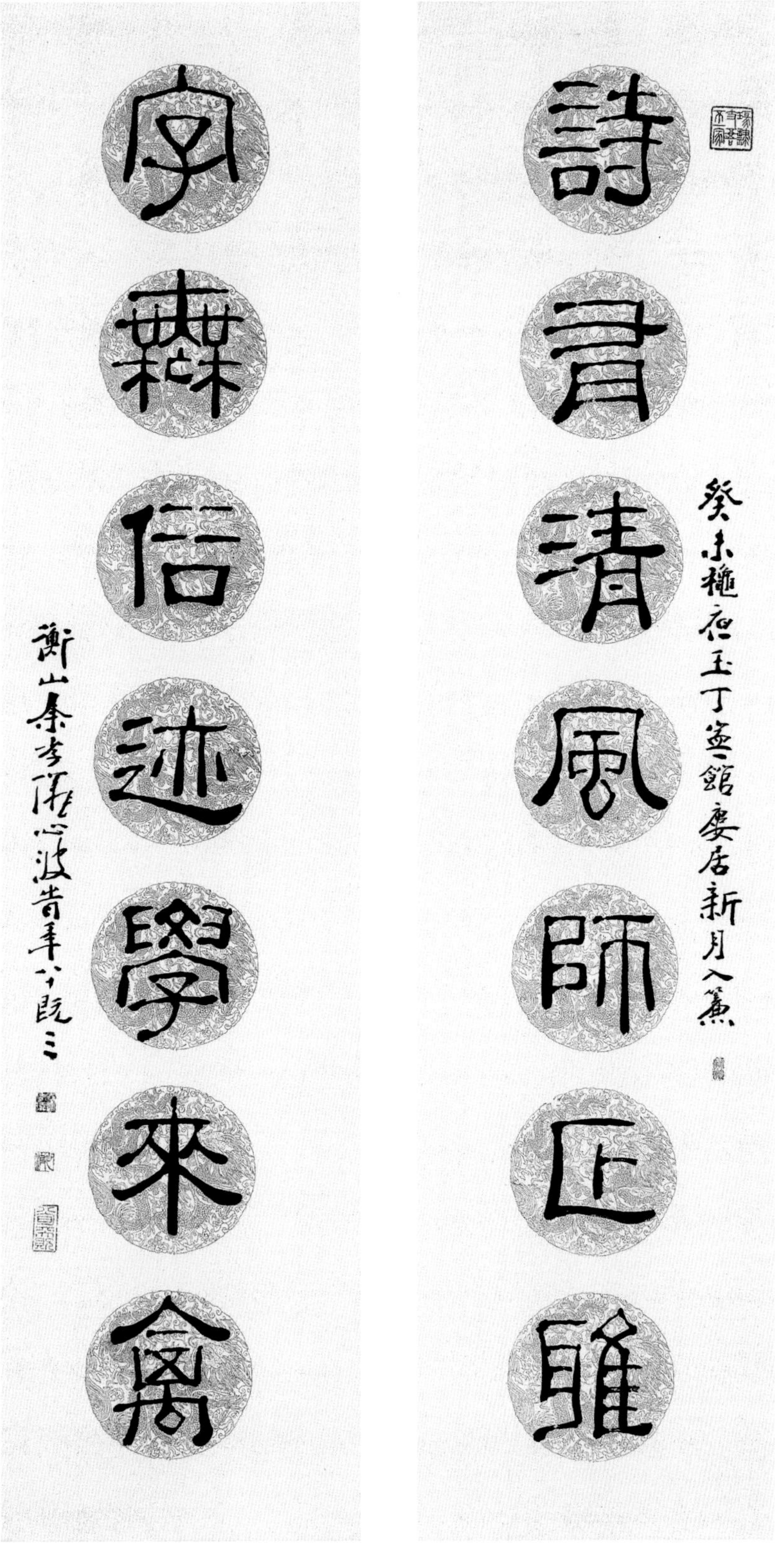

詩有清風師正雅，
字無俗迹學來禽。

跋文　癸未（二〇〇三）秋夜，玉丁寧館賡居，新月入簾，衡山秦孝儀心波時年八十既三。

鈐印　篆隸支吾不一家、玉丁寧館、秦孝儀、心波、八旬天兕。

IV- 6

草書　臨懷素自敘帖　四屏

Rendition of *The Autobiography* by Monk Huai Su of the T'ang dynasty

Cursive script

136 x 38 cm x 4

2003

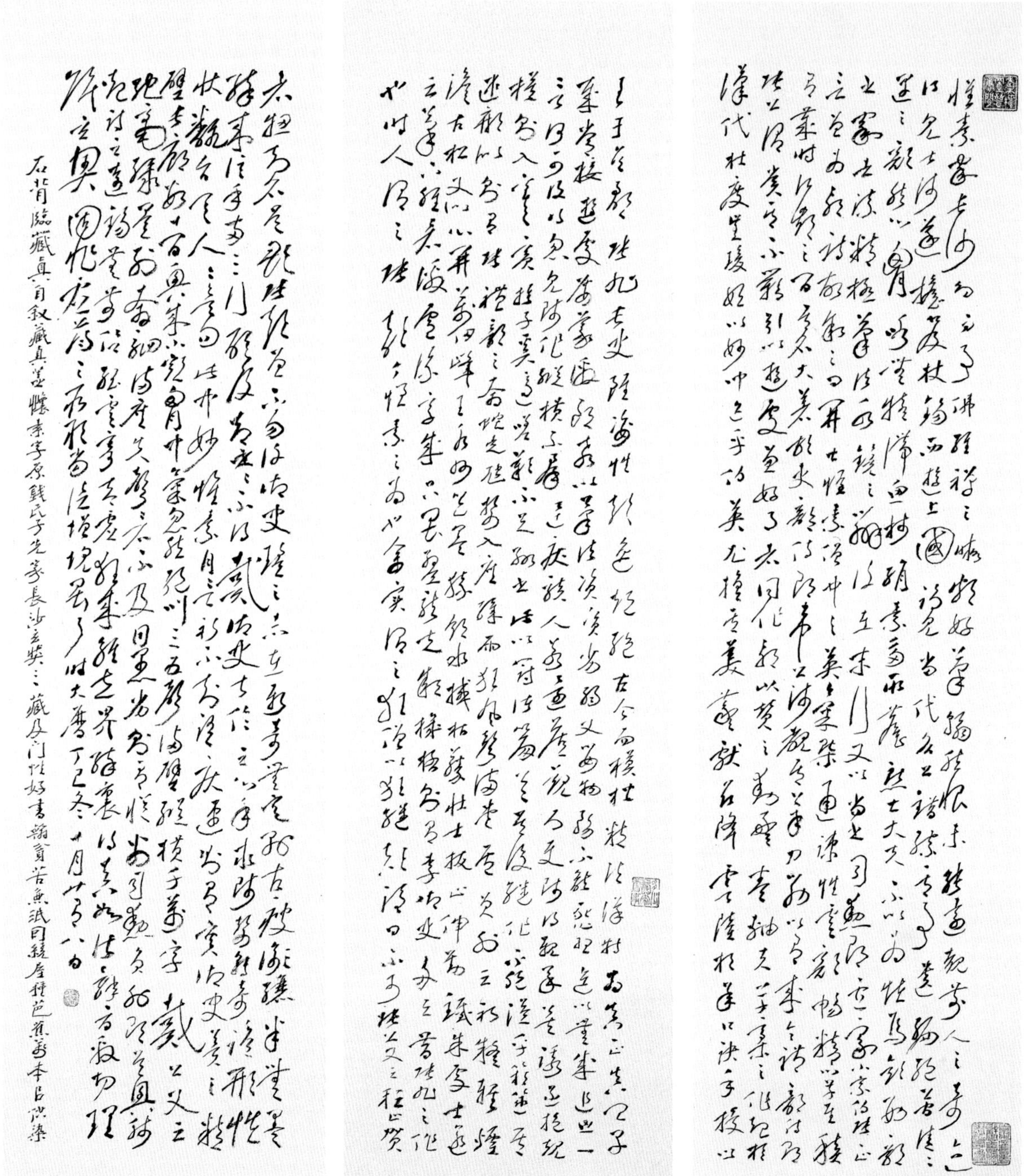

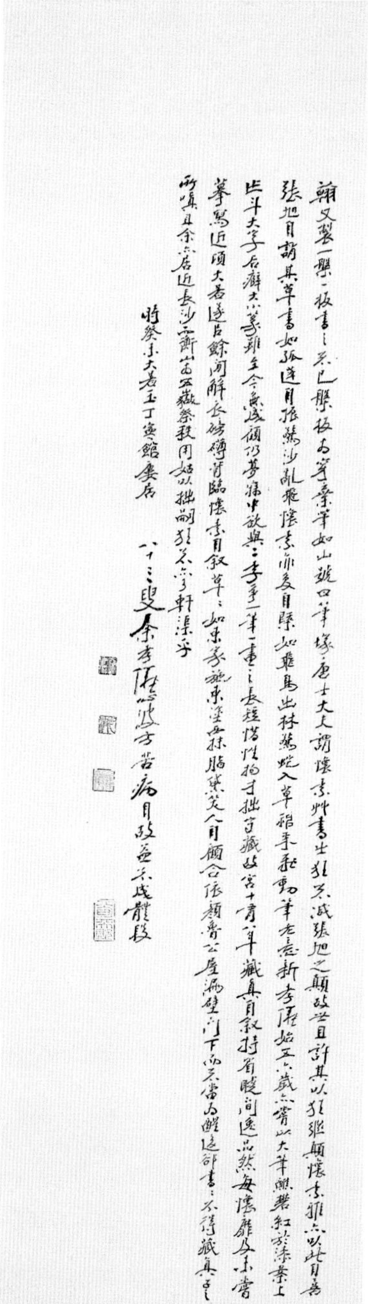

原文不錄

跋文

右背臨藏真自敘。藏真蓋懷素字，原錢氏子，先家長沙，玄奘三藏及門。性好書翰，貧苦無紙，因繞屋種芭蕉萬本，以供染翰。又製一槃一板，書之不已，槃板為穿，棄筆如山，號曰筆塚。唐士大夫謂懷素草書之狂，不減張旭之顛，故世且許其以狂繼顛，懷素雅亦以此自喜。張旭自謂其草書如孤蓬自振，驚沙亂飛；懷素亦復自概如飛鳥出林，驚蛇入草，神采飛動，筆老意新。孝儀始五六歲，亦嘗以大筆蘸礬紅於漆案上作斗大字，後癖大小篆。雖至今無成，顧仍夢寐中欲與二李爭一筆一畫之長短，惜性拘才拙，守藏故宮十有八年，藏真自敘特眉睫間逸品，然每懷靡及，未嘗摹寫。近頃大暑，遂以餘閒，解衣磅礴，背臨懷素自敘，草草如東家施，東塗西抹，脂黛笑人，自顧合依顏魯公屋漏壁門下，而不當為「醒後卻書書不得」藏真子之所嗔；且余亦居近長沙，而衡山為五嶽祭秩，用姑以拙嗣狂，若亦可軒渠乎？

時癸未（二〇〇三）大暑，玉丁寧館廔居，八十三叟秦孝儀心波方苦病目，故益不成體段。

鈐印

老夫權置晉唐間、夏璋商璧周圭漢琮與此同壽、多少蓬萊舊事、衡雲淮海、秦孝儀、心波、五千年往古文物近百年文史兼監、八旬天貺。

IV- 7

篆楷二扇（篆隸真草扇式四屏）軸

Excerpt from *The Characterizations of Poetry* by Ssu-k'ung T'u of the T'ang dynasty
Seal script

Excerpt from *In Memoriam of Han Yü* inscribed at his temple in Chao-chou by Su Shih of the Sung dynasty
Regular script

98 x 71 cm x 2

2003

坐中佳士，左右修竹。
白雲初晴，幽鳥相逐。
落華無言，人淡如菊。

跋文 癸未（二〇〇三）歲晏淫雨方霽，節篆司空表聖詩品，其喜在白雲初晴也。八十三叟秦孝儀心波。

鈐印 玉丁寧館、衡雲淮海。

孟子曰：吾善養吾浩然之氣，是氣也，寓於尋常之中，而塞乎天地之間，卒然遇之，則王公失其貴，晉楚失其富，良平失其智，賁育失其勇，儀秦失其辯。是孰使之然哉？其必有不依形而立，不恃力而行，不待生而存，不隨死而亡矣。故在天為星辰，在地為河嶽。幽則為鬼神，而明則復為人，此理之常，無足怪者。自東漢以來，道喪文弊，異端並起，歷唐正觀、開元之盛，輔以房、杜、姚、宋而不能救，獨韓文公起布衣，談笑而麾之，天下靡然從公，復歸於正，蓋三百年於此矣。文起八代之衰，而道濟天下之溺。

跋文 節書蘇文忠公潮州韓文公碑。癸未（二〇〇三）秋吉，八十三叟秦孝儀。

鈐印 八旬天睨、秦孝儀。

Ⅳ- 8

隸草二扇（篆隸真草扇式四屏）　軸

Bronze inscription of the Shang dynasty
Clerical script

Excerpts from inscriptions on archaic implements
Cursive script

98 x 71 cm x 2

2003

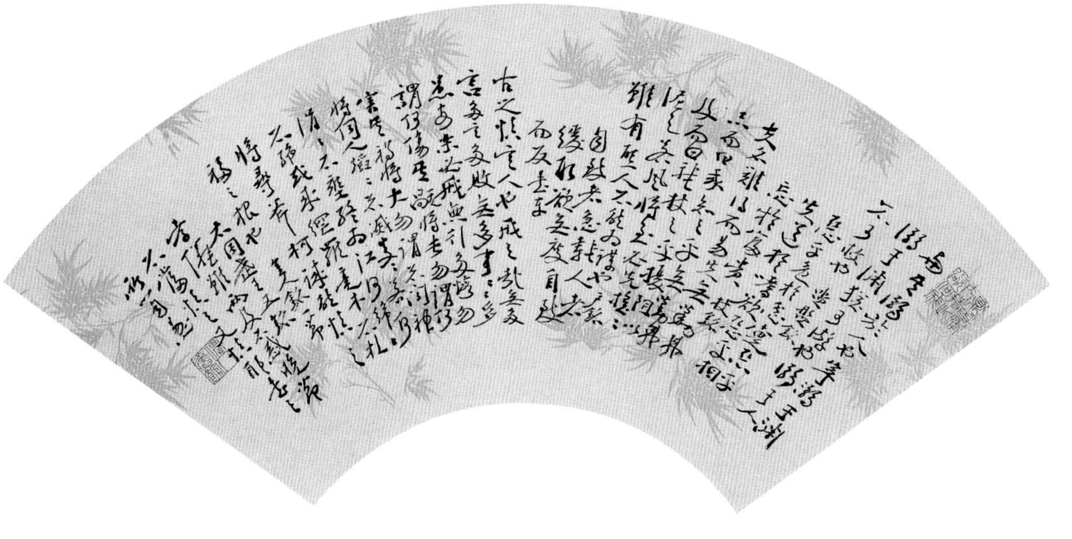

嗛嗛之德不足就也，不可以矜，而祇取憂也。嗛嗛之食不足狃也，不能為膏，而祇離咎也。

商湯銘見古逸詩三十六字。

跋文　癸未（二〇〇三）秋爽，玉丁寧館廔居，秦孝儀心波八十既三。

鈐印　帆隨湘轉望衡九面、衡雲淮海。

原文不錄

跋文　右周武王五銘，孝儀雖兩及不惑，晚節不當慎之又慎耶？書之所以自惕。

鈐印　鼎鼎百年內持此欲何成、僊人舊館。

IV- 9

秦氏自篆千字文(四體) 冊裝上下函

Rendition of *The Thousand-character Classic* in two volumes
Seal script

本幅26 x 18.5 cm x 68　冊33 x 20.8 cm x 2
2002

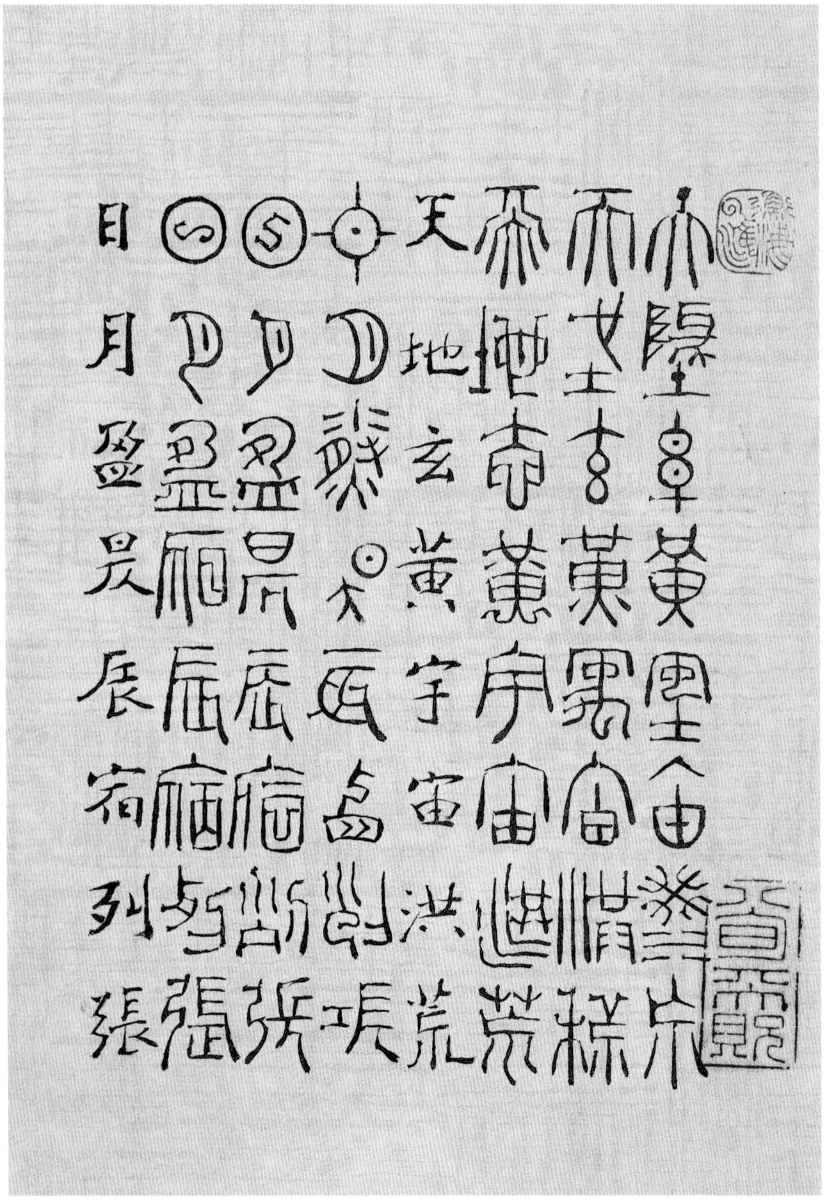

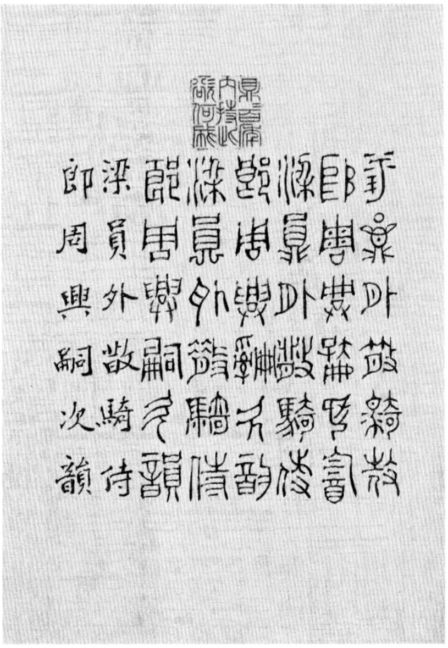

首頁：四體「千字文」

梁員外散騎侍郎周興嗣次韻

千字文內容不錄

跋文

千字文出梁周興嗣手，傳梁大同中武帝敕殷鐵石模王右軍書一千字不重者，使周興嗣韻之，一日而綴成，故首出之千字文為右軍法書。嗣後如唐之歐陽詢、褚遂良、孫過庭、僧懷素、張旭皆有楷書、草書千字文傳世；而宋徽宗則有楷、草二本，宋高宗有真、草二本。降而至于宋元之交，趙孟頫有四體、六體千字文出；至於明人文徵明、張瑞圖、清人張海鵬、何子貞，民國以來于右任、黃（賓）虹皆相繼有作，可謂善哉、盛哉。孝儀八十既二，猶眼能作細字，腕堪握寸管，不甚失繩墨矩矱，頗時時作擘窠篆自娛。一日林百里氏語予何不作古篆、大篆、小篆千字文，一繼往哲，且開來者。私念自來千字文家數雖多，要不出真草楷法；趙氏雖曰六體，而大小篆非其所長，類皆依樣之瓠。昔宋徽宗問米芾曰：蘇軾書如何？對曰畫；黃庭堅書如何？對曰描；卿書如何？對曰刷。松雪之篆，未始非描也。惟爾時內子海平沈綿病榻，予方寸既亂，已鮮近几硯，然日親刀圭湯藥之餘，欲勉強藉筆墨習靜忘憂，遂復兀兀至於窮年。後內子終至奄忽，中輟者兼旬；為勉抑悲懷，遂重復臨池，至歲杪而成帙。顧益不敢望如東坡之畫，南宮之刷，然字字頗事溯洄，稍稍辨其孰源孰委，則尚可供翫索解頤焉。書成聊跋紙尾，原不辭來者之譏議也。

九行黃賓虹奪一賓字。

壬午（二○○二）寒雨新霽，衡山秦孝儀心波時年八十有二。

鈐印

衡山秦孝儀心波看書讀畫屬文詠詩作字之記、鼎鼎百年內持此欲何成、衡雲淮海、八旬天睨、玉丁寧館、秦孝儀、心波、五千年往古文物近百年文史兼監、夏璋商璧周圭漢琮與此同壽、多少蓬萊舊事。

IV- 10

自篆　司空表聖詩品

Rendition of the *The Characterizations of Poetry* by Ssu-k'ung T'u of the T'ang dynasty

Seal script

冊裝　本幅 26 x 21.2 cm x 32　冊 34 x 23 cm

2003

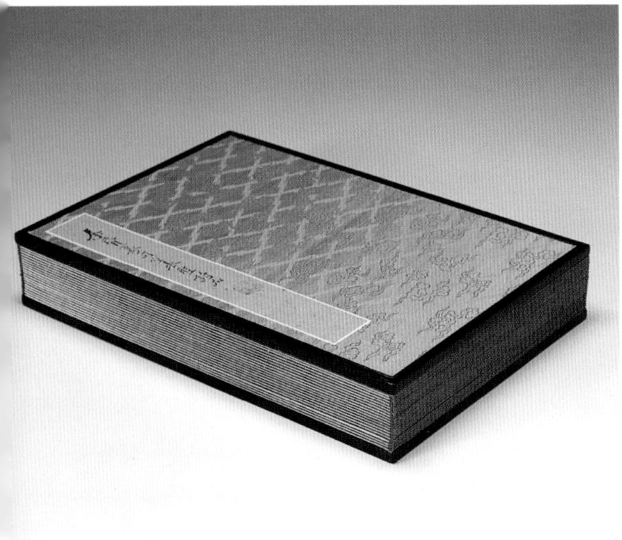

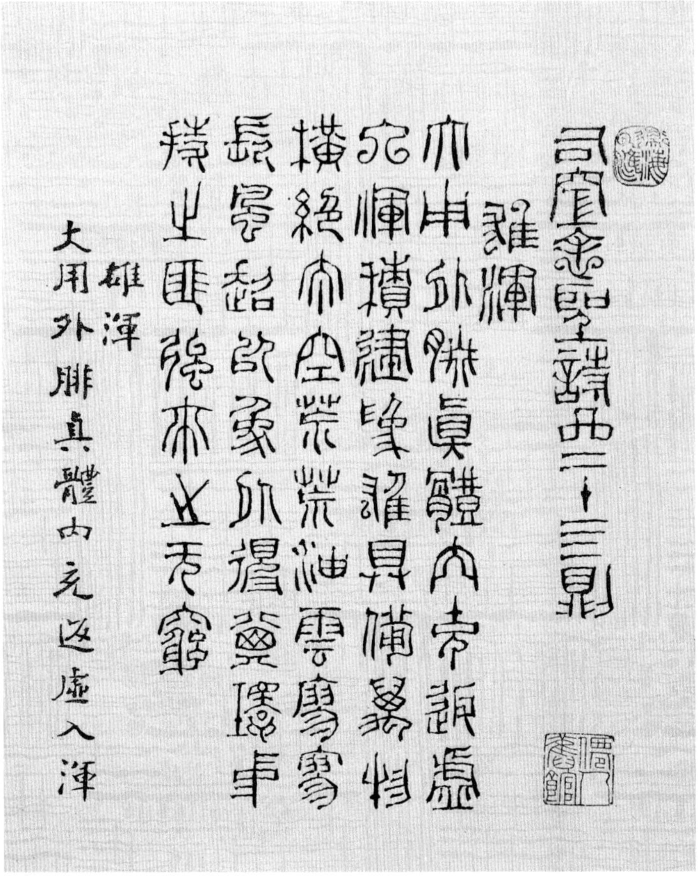

首頁：司空表聖詩品二十四則

詩品內容不錄

跋文

手篆詩品後記

記予童時侍先君子側，每命屬對。一日侍先母神祠觀劇，歸告膝下。先君子詔予，此蓋「聞雷失箸」屬曹劉故事，予遽對以「玉燕投懷」，雖不的當，先君子仍意頗嘉之。自是留心文史，進而每喜吟諷，初自《隨園詩話》入，間及於《梅村詩話》、《漁洋詩話》、《藝苑巵言》、司空表聖《詩品》，因頗自謂犑辨途徑。不幸十歲失怙，十七歲而丁國憂，中懷慘愴，殊嚮往杜少陵、李青蓮、白香山、陸渭南之感憤雄奇，因而有《百忠詩史》、《國憂近稿》之作；月圃女弟子，且為之手鈔存稿，間復油印，上之程潛、居正、于右任、梁寒操諸名公。既勝利還都，予之獲入梁公「三民主義理論研究委員會」，即以此受知之故。及西南盡撤，越海赴難，既自悔少作；加之入侍　先總統蔣公堂廡，已日苦創作討論，非偶侍燕居寸暇，鮮少吟興，而《詩品》云云，固澹忘久矣。比垂老休致，頗拾陳編禿穎，因手篆《詩品》二十四則，含毫默想，殊異少日翫味情致，自笑存稿既不脫兒時不的當習氣，而篆法亦每苦拘牽謹飭，不免二李笑人。寫竟，又繫之以四絕句云：

自少耽詩老不馴，晚持詩品一權衡。何嘗橫絕何嘗傲，止臏精丹太瘦生。

眼前腕底凍頻呵，詩品犑成亦自多。鳥跡蝸書誰復識，堂堂二李謂如何。二李謂李斯李陽冰

小硯成凹筆成塚，孱軀苦志亦勞勞。姑留臏墨還天地，誰信沈憂朝復朝。於家艱世亂中沈潛作篆

六十沉疴久自煎，遷延八十見矜全。苦吟連篋篆連帙，惜取艱虞八十年。

癸未（二〇〇三）二月十日海平沒世第一冥誕，予八十三初度前一日寫竟。衡山秦孝儀心波。

鈐印

衡雲淮海、僊人舊館、衡山秦孝儀心波看書讀畫屬文詠詩作字之記、多少蓬萊舊事、八旬天睨、秦孝儀、心波。

IV- 11

手植王蓮戲賦

Ode to the lotus in the Chih-te-yüan Garden

Regular script

34.5 x 87 cm

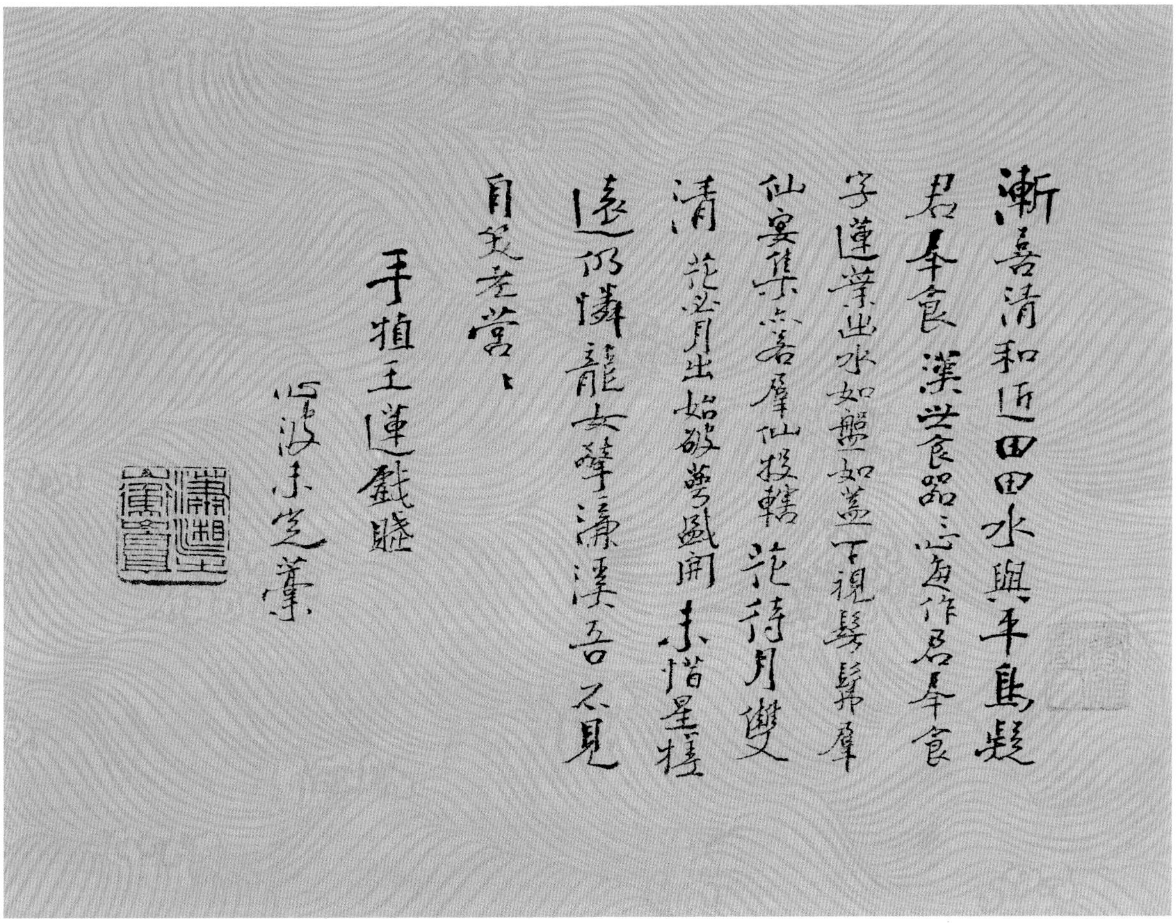

漸喜清和近，

田田水與平。

鳥疑君幸食，漢世食器器心每作君幸食字。蓮葉出水如盤如蓋，下視髣髴群仙宴集，亦若群仙投轄。

花待月雙清。花必月出始破萼盛開。

未惜星槎遠，

仍憐龍女擎。

濂溪吾不見，

自笑老營營。

手植王蓮戲賦

心波未定稿

鈐印 瀟湘之山衡山高。

IV- 12

丙子華府雜詩

Five poems written while visiting Washington, D. C., in 1996

Regular script

34.5 x 87 cm

1997

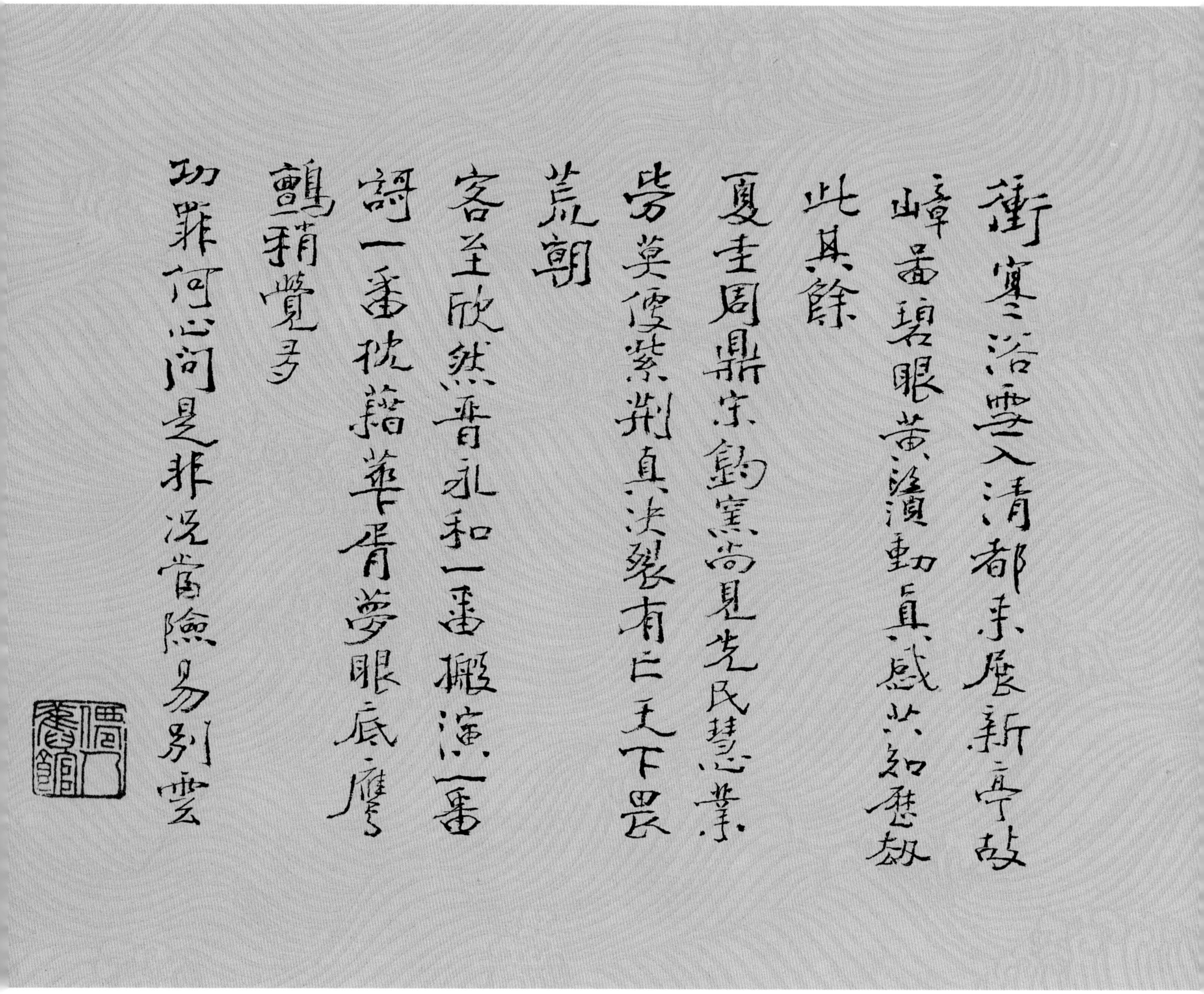

衡寒浴雪入清都，來展新亭故嶂圖。
碧眼黃鬚動真感，共知歷劫此其餘。

夏圭周鼎宋鈞窯，尚見先民慧業勞。
莫便紫荊真決裂，有亡天下畏荒朝。

客至欣然晉永和，一番搬演一番歌。
一番枕藉華胥夢，眼底鷹鸇稍覺多。

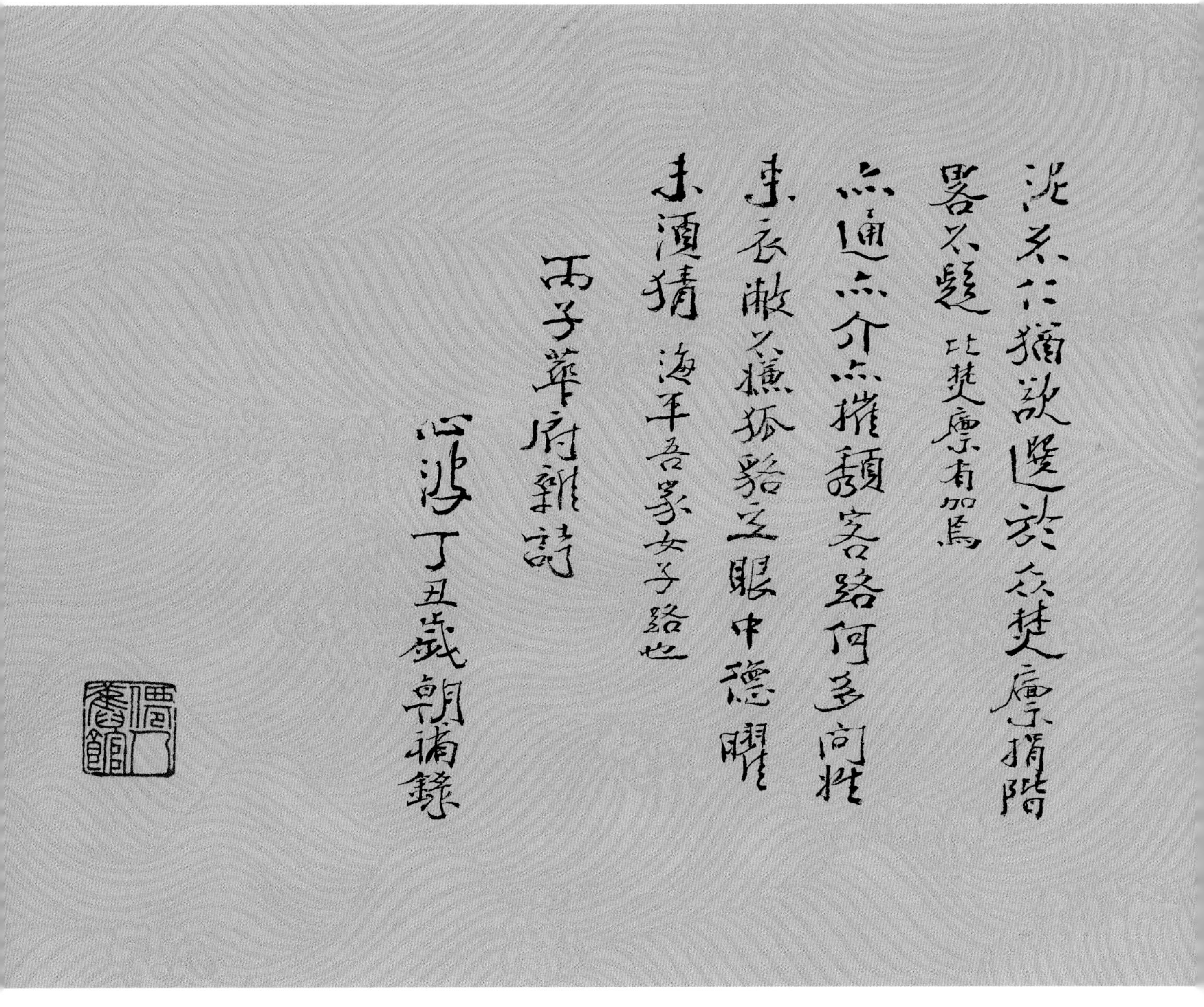

功罪何心問是非，況當險易別雲泥。

不仁猶欲選於眾，焚廪捐階略不疑。

比焚廪有加焉

亦通亦介亦摧頹，客路何多問姓來。

衣敝不嫌狐貉立，眼中德曜未須猜。

海平吾家女子路也

丙子華府雜詩

心波丁丑歲朝補錄

鈐印　僊人舊館。

artwork or sang of its praise, it helped to form his unique style and taste in art. He developed an elegant and upright form of calligraphy that became known as the "Chin Style," using it to write poems and inscriptions of praise, not only representing his love of art but also adding new life to the ancient works. In 1997, Chin Hsiao-yi donated a substantial collection of objects made of ivory, bone, bamboo, and wood that he had amassed over the years. This group of 237 objects (composed of 296 individual pieces) was donated to the National Palace Museum in the name of his studio, "Yü-ting-ning Hall". In addition, he also donated 42 sets of rare Ming and Ch'ing dynasty books consisting of 2,230 volumes as well as a draft composed by the late Ming martyr Yang Lien on the 24 crimes of the eunuch Wei Chung-hsien and a work in pastels by one of the early modern Taiwanese painters, Yang San-lang. Chin Hsiao-yi's continuous donations to the Museum allow these works to be shared with the rest of the world, demonstrating his dedication to the preservation and display of precious artworks, a quality that has been praised by many.

With the hundredth day of the passing of Chin Hsiao-yi, the National Palace Museum would like to take this opportunity to display some of the works he generously donated as well as examples of calligraphy borrowed from his family. By witnessing the model achievements of Chin Hsiao-yi, this exhibition serves as a token of the gratitude and respect on the part of colleagues, and it is hoped that people in general will come away with a greater understanding of his contributions to the National Palace Museum and the arts in Taiwan. (Wang yao-ting)

court collection. The display of objects from the middle and late Neolithic period down to the modern era presented eight millennia of Chinese culture in an unbroken chain, thereby making breakthroughs in the original Museum formulation as a repository of court treasures. He oversaw the complete inventory of the Museum holdings and the establishment of a unified classification and accession number system, bringing further order and security to the collection. In addition, Director Chin was a fervent believer in the benefits of publishing, presiding over series of panoramic views on Chinese art and culture from five thousand years that allow readers to glimpse the glorious cultural achievements of China unfettered by constraints of time or space. He also helped arrange the "Hundred Treasures" traveling exhibition to various cultural institutions in central and southern Taiwan, allowing people there to experience masterpieces from the collection without having to visit Taipei. Keeping up with international trends, he promoted integrated and diversified exhibitions. His first endeavor was to establish a special exhibition entitled "The Relationship Between Chinese and World Cultures", showing the course of cultural developments over five thousand years. Likewise, he ensured that the National Palace Museum kept in contact with other museums and audiences around the world, facilitating the display of Museum objects in the United States and France. He also encouraged exchange with other museums around the world, helping to bring Western art for exhibit at the Museum and demonstrating the beauty and glorious achievements of Chinese and Western art at the same venue. Not oblivious to developments across the Taiwan Strait or in the private sector, either, he inaugurated Museum exhibits of archaeological works from Mainland China and of art in private collections. And finally, with computer technology becoming one of the most important trends in the world, Chin Hsiao-yi initiated the computerized automation and digitization of the collection, research, and administrative management at the National Palace Museum.

In his spare time from official duties, Chin Hsiao-yi enjoyed composing poetry and doing calligraphy, developing a keen interest in collecting objects of the scholar's studio and works of jade, stone, bamboo, wood, bone, and horn. Each time he handled an

Exhibition in Memory of the Yü-ting-ning Studio:

Former Director Chin Hsiao-yi's Donations and His Calligraphy

"Yü-ting-ning Hall" was the name of the studio of Mr. Chin Hsiao-yi (style name Hsin-po), former director of the National Palace Museum. Born in 1921 in Heng-shan County, Hunan Province, he passed away in Taipei on January 5, 2007. In childhood, Chin Hsiao-yi was personally instructed by his father, receiving a solid and broad education. Untiring in his studies and achieving considerable literary skills, people at the time called him "the number one literary great". Chin Hsiao-yi went on to graduate from the Department of Law at Shanghai Law School, and starting from the age of 24 began assisting central government leaders, serving for many years in the central committee of the Kuomintang Party. In January of 1983, he accepted an appointment as Director of the National Palace Museum, and he retired with honor in May of 2000, managing Museum affairs for eighteen years. Afterwards, he accepted a post as honorary president of the Quanta Culture & Education Foundation, continuing to make contributions to the arts in Taiwan.

During the period when Chin Hsiao-yi was director of the National Palace Museum, he promoted a greater understanding of culture, feeling that antiquity and the present should be linked together. He also believed in an international outlook, for only by expanding one's vision could one turn a new page in culture. During those eighteen years, he handled the expansion of the Museum, ensuring that the collection objects had the latest available environmental facilities for exhibition and means for conservation. He oversaw construction of traditional-style gardens, beautifying the Museum grounds and providing visitors with an ideal place for art and leisure. He furthermore was actively involved in the Museum's acquisition of new objects, filling lacunae in the original Ch'ing

CONTENTS

國家圖書館出版品預行編目資料

玉丁寧館紀念展：秦前院長捐贈文物及其書法
/ 王耀庭等文字撰述. --臺北市：廣達文教
基金會，民96
面：　公分

ISBN 978-986-81148-7-6（平裝）

1. 古玩 2. 書法 - 作品集

790.74　　96006149

玉丁寧館紀念展
秦前院長捐贈文物及其書法

Exhibition in Memory of the Yü-ting-ning Studio:
Former Director Chin Hsiao-yi's Donations and His Calligraphy

---

主辦單位　國立故宮博物院　財團法人廣達文教基金會
發 行 人　林曼麗　林百里
策展單位　國立故宮博物院
主　　編　林柏亭
執行編輯　馮明珠
文字撰述　王耀庭 嵇若昕 王競雄 許媛婷
翻　　譯　宋兆霖 Donald Brix〔蒲思棠〕
攝　　影　林傑人 崔學國
美術設計　自由落體股份有限公司
印刷公司　士鳳藝術設計印刷有限公司
出 版 者　財團法人廣達文教基金會
　　　　　地　　址　台北市士林區後港街116號9樓
　　　　　電　　話　02-2882-1612
　　　　　電　　傳　02-2882-6349
中華民國九十六年四月
玉丁寧館紀念展:秦前院長捐贈文物及其書法
ISBN-13：978-986-81148-7-6
定　　價　600元

3 406400 100116